LA COMUNICACIÓN
INTEGRAL

JUAN ANTONIO LÓPEZ BENEDÍ

LA COMUNICACIÓN
INTEGRAL

Teoría y prácticas

EDICIONES OBELISCO

Si este libro le ha interesado y desea que le mantengamos informado de
nuestras publicaciones, escríbanos indicándonos qué temas son de su interés
(Astrología, Autoayuda, Ciencias Ocultas, Artes Marciales, Naturismo,
Espiritualidad, Tradición…) y gustosamente le complaceremos.

Puede consultar nuestro catálogo en www.edicionesobelisco.com

Colección Éxito
La comunicación integral
Juan Antonio López Benedí

1.ª edición: octubre de 2013

Maquetación: *Montse Martín*
Corrección: *Sara Moreno*
Diseño de cubierta: *Enrique Iborra*

© 2013, Juan Antonio López Benedí
(Reservados todos los derechos)
© 2013, Ediciones Obelisco, S. L.
(Reservados los derechos para la presente edición)

Edita: Ediciones Obelisco S. L.
Pere IV, 78 (Edif. Pedro IV) 3.ª planta 5.ª puerta
08005 Barcelona - España
Tel. 93 309 85 25 - Fax 93 309 85 23
E-mail: info@edicionesobelisco.com

Paracas, 59 C1275AFA Buenos Aires - Argentina
Tel. (541-14) 305 06 33 - Fax: (541-14) 304 78 20

ISBN: 978-84-15968-02-3
Depósito Legal: B-22.077-2013

Printed in Spain

Impreso en España en los talleres gráficos de Romanyà/Valls S. A.
Verdaguer, 1 - 08786 Capellades (Barcelona)

Introducción

El arte de hablar y comunicarse es, para muchas personas, una necesidad y un requisito indispensable dentro de su contexto laboral, familiar y social, por no hablar de la propia intimidad. Tienden a encontrarse, no obstante, diversos elementos que limitan y bloquean la comunicación. Sin embargo, también existen herramientas para conseguir hacerlo de manera efectiva; aquélla en la que se logra empatizar con la audiencia y obtener resultados óptimos. Resultados que nos ayudan a lograr los objetivos deseados.

Nos adentraremos, en este libro, en una serie de observaciones, puntos de vista y ejercicios que nos ayudarán a mejorar nuestras habilidades naturales y técnicas de comunicación tradicionales, para integrarlas de forma inteligente, coherente, desde las emociones y los sentimientos que nuestro corazón regula y acusa, más allá del pensamiento. Tales procesos se desarrollarán a través de estudios de vanguardia en oratoria, inteligencia emocional y habilidades sociales, con el propósito de seguir avanzando, de una forma voluntaria decidida y consciente, hacia recursos aplicables en la mejora constante de nuestras competencias para la comunicación inter e intrapersonal.

Para ello, comenzaremos por reconsiderar en qué consiste la comunicación, abriendo así perspectivas complementarias más amplias y profundas que las que solemos manejar de forma cotidiana. Una vez hecho esto, podremos establecer las pautas básicas de tales procesos de comunicación, desde el reconocimiento de la complejidad que en ellos se da, aunque no lo hayamos considerado así hasta ahora, de la misma manera que solemos reparar muy poco en el latido de nuestro corazón y mucho menos en comprender lo que constantemente nos expresa y ofrece con su música. Esa música, ese ritmo, es el de la vida misma en todas sus dimensiones. Por ello mismo, desde la más remota antigüedad, hablar «de corazón» ha sido sinónimo de hacerlo desde los valores más profundos de nuestra existencia; desde el origen de lo que muchos identifican con lo divino.

En este sentido, reconocer la importancia de la comunicación y su grandiosa capacidad para generar realidades internas y externas, se muestra claramente como la puerta de los mundos infinitos de la creatividad y la solución de los conflictos; esos mismos conflictos que, por un enfoque inadecuado, es decir, por una manera errónea o poco habilidosa de contarnos las pequeñas o grandes cosas de nuestra vida, pueden ser el lastre principal y origen de nuestros sufrimientos diarios.

En definitiva, a través de este camino que iremos recorriendo juntos, nos proponemos integrar todas aquellas habilidades naturales, exploradas o desconocidas, pero propias de nuestra sorprendente naturaleza humana, para dirigir de forma coherente el contexto de nuestro inmenso mundo de la comunicación.

Lo haremos a través de las cuatro partes en las que se divide el libro, a saber: el sentido, origen y estructura de la comunicación, el aspecto verbal, los no verbales y el contexto de ésta.

Con todo cariño, de corazón, deseo que a través del libro se te vayan abriendo las puertas de esta auténtica magia de la comunicación y la sabiduría de integrar todos los aspectos de nuestra naturaleza originaria.

PRIMERA PARTE

Objetivos

✓ Acercamiento al complejo mundo
  de la comunicación.

✓ Asentar los conceptos y consideraciones
  fundamentales.

✓ Identificar límites y dificultades.

✓ Ejercitar recursos y habilidades básicas
  para construir sobre ellas posteriormente.

Capítulo I

EL HECHO
DE LA COMUNICACIÓN

¿Qué es comunicarse?

La etimología de la palabra «comunicación» nos lleva al término de origen latino *comunis* que significa 'común'. Comunicar, por lo tanto, tiene que ver con poner en común pensamientos y mensajes emocionales, con el objetivo de compartir, proponer o hacer algo con otra persona o con nosotros mismos. Así pues, necesariamente, la comunicación exige la utilización de un código compartido.

Llamamos código a un conjunto de símbolos y signos que deben ser conocidos por los intervinientes, las diferentes partes o protagonistas del proceso de la comunicación. Pongamos un ejemplo para entenderlo: imaginemos que habiendo nacido en España y acostumbrados a esta lengua que nos fue mostrando nuestro mundo y cultura, hiciéramos un viaje a China, aprovechando las maravillosas ofertas turísticas con que algunas agencias nos bombardean. ¿Qué ocurriría al llegar a Pekín y no poder leer los carteles, indicaciones de trasporte público ni hablar con nadie? Sería una forma clara, intensa y directa de comprobar la importancia de compartir un mismo código para la comunicación. Tal vez de esa forma podamos ser también más comprensivos y tolerantes cuando vamos a un restaurante chino, dando por supuesto que quienes allí trabajan dominan a la perfección nuestra lengua.

Difícil será que pueda compartirse una idea con eficacia en tales circunstancias. El desconocimiento de un código limita gravemente la posibilidad de trasmitir aquello que podríamos llegar a tener muy claro en la cabeza y tener la posibilidad de comprender lo que la otra persona quiere expresarnos. Sin embargo, a pesar de esta rotunda verdad, es posible ir a China y salir adelante, aunque no tengamos un intérprete contratado, a través de otra de las maravillas comunicativas de nuestra naturaleza humana: la comunicación no verbal. En ella también se da un código, pero partes de ese código, sus raíces, parecen ser comunes a todos los seres humanos. Estas raíces comunes se encuentran siempre a nuestra disposición, como el lenguaje rítmico de nuestro corazón, pero sólo somos capaces de usarlas cuando nos olvidamos de razonar y nos comunicamos, por la necesidad vital o la potencia arrebatadora de nuestros sentimientos, a través de la auténtica música de la existencia. El código es pues, lo que permite que los mensajes puedan ser trasmitidos de persona en persona, de una forma u otra; desde el corazón o la cabeza, a través de los gestos o las palabras.

De forma resumida y esquemática podemos entender que la comunicación de un determinado mensaje, originado en un punto A, debe llegar a otro punto determinado B, distante del anterior en el espacio o en el tiempo, además de la cercanía o distancia afectiva. Así podemos considerar que se lleguen a dar ciertas paradojas, como que haya personas que se entiendan estando muy lejos y no lo consigan estando cerca o al contrario. Por ejemplo, cuando estamos enamorados es muy fácil entenderse y cuando estamos enfadados resulta imposible, independientemente de la distancia física a la que nos encontremos. Incluso puede observarse también que dos personas enfadadas se entienden mejor cuando están lejos físicamente. En este proceso, la información tiende a ser afectada y experimenta cambios. Debe entenderse por ello como un proceso complejo, en el que será necesario ir haciendo distinciones y determinando diferentes elementos:

- **Código lingüístico:** Sistema de signos y reglas para combinarlos, que por un lado es arbitrario y por otra parte debe estar organizado de antemano.
- **Canal de trasmisión:** Medio a través del cual se organiza el sistema de códigos lingüísticos.

- **Emisor:** Persona que trasmite el mensaje. Elige y selecciona los signos que le convienen, es decir, realiza un proceso de codificación.
- **Receptor:** Persona a quien va dirigido el proceso de la comunicación. Realiza un proceso inverso al de quien emite el mensaje: descifra e interpreta los signos elegidos por la persona emisora; descodifica el mensaje.
- **Mensaje:** Lo que se comunica. En él se encuentra un contenido concreto, relacionado con un proceso que comprende sus aspectos previos, así como las consecuencias generadas.
- **Contexto de la situación:** Circunstancias que rodean el hecho de la comunicación; contexto en que se trasmite el mensaje y que contribuye a determinar su significado.
- **Referente:** Base de la comunicación; la realidad objetiva.

Estos elementos, que conforman el esquema de la comunicación, tienen como propósito el logro de una eficacia en la trasmisión de la información, mayor o menor en función de la adecuada organización de la estructura del proceso, aunque también deben tenerse en cuenta otros elementos:

- **Ruido:** Perturbación experimentada por la señal o el código, en el proceso de comunicación. Se relaciona con cualquier factor que dificulte o impida el desarrollo eficaz de cualquiera de sus elementos: distorsiones del sonido en la conversación, la radio, la televisión o el teléfono; distorsión de la imagen de la televisión, alteración de la escritura en un viaje, afonía de la persona que habla, sordera de quien oye, la ortografía defectuosa, la distracción de la persona receptora del mensaje, el alumno que no atiende aunque esté en silencio…
- **Redundancia:** Procura evitar o paliar la inevitable presencia del ruido en la comunicación, repitiendo o reforzando elementos del proceso. Consiste en un desequilibrio entre el contenido informativo y la cantidad de distinciones requeridas para trasmitir la información en el mensaje. Podemos entenderla como aquella parte del mensaje que podría omitirse sin producir pérdidas de

información. Suele introducirse siempre algún grado de redundancia, para asegurar la trasmisión de la información esencial.

Semiótica

La semiótica o semiología es la ciencia que trata de los sistemas de comunicación en los grupos humanos.

Saussure fue el primero que habló de la semiología y la definió como:

«Ciencia que estudia la vida de los signos en el seno de la vida social. Nos enseña en qué consisten los signos y cuáles son las leyes que los gobiernan».

Peirce fue considerado creador de la semiótica y la concibe como una teoría general de los signos lingüísticos. Ambos nombres (semiología y semiótica), basados en el griego *Semenion* («signo») se emplean hoy como sinónimos.

Hay diferentes corrientes, a veces dispares, por lo que tiende a verse como un conjunto de aportaciones más que como una ciencia. De ello se han ocupado, entre otros, Prieto, Barthes y Umberto Eco. A estos últimos se debe la aplicación del concepto de signos a todos los hechos significativos humanos como son: la moda, las costumbres, los espectáculos, los ritos y ceremonias o los objetos de uso cotidiano.

La semiótica estudia el concepto de signo y sus implicaciones filosóficas, la naturaleza y clases de signos o el análisis de códigos completos. Hoy en día se centra, fundamentalmente, en el estudio de la naturaleza de los sistemas autónomos de comunicación y en el lugar que la misma semiología o semiótica ocupa en el saber humano.

Peirce estableció diversas calificaciones del signo:

- **Índices** (indicios). Son signos que tienen conexión física real con el referente, es decir, con el objeto al que remiten; la conexión puede consistir en la proximidad, la relación causa efecto u otras. Son índices los signos que señalan un objeto presente o la dirección en que se encuentran, como pueden ser una flecha indicativa o un dedo señalando algo. También lo son aquellos signos que rotulan objetos designados en otro código, como el título escrito bajo un cuadro o un pie de foto, así como los naturales producidos por objetos o seres: la huella de unas pisadas, el humo como indicativo de fuego, el cerco de un vaso o la palidez de una persona.

- **Iconos.** Son signos que tienen semejanza de algún tipo con el referente. La semejanza puede consistir en un parecido en la forma o afectar a cualquier cualidad o propiedad del objeto, como ocurre con los cuadros, las esculturas figurativas, las fotografías, los dibujos animados, las caricaturas, las onomatopeyas o imitaciones del sonido, mapas, planos o gráficos que representan proporciones. En ella pueden distinguirse grados: una fotografía en color de un gato es más icónica que una silueta esquemática de éste.

- **Símbolos.** Son signos arbitrarios, es decir, que su relación con el objeto se basa exclusivamente en una convención. El símbolo no tiene carácter icónico por no parecerse ni guardar relación con lo que designa. Entre ellos se encuentran los alfabetos, la anotación clínica, los signos matemáticos o las banderas nacionales. A esta categoría pertenece el signo lingüístico.

- **Signo lingüístico.** Se presenta con características propias. En él se da la no-analogía del símbolo y además puede descomponerse y analizarse en unidades situadas a diferentes niveles, como ocurre con el llamado triángulo semiótico: *significante, significado y referente*.

Características del signo:

1. *Arbitrariedad:* La relación que existe entre el significante y el significado no es necesaria sino convencional. Por ejemplo, el concepto que expresa la palabra casa (significado) no tiene ninguna relación natural con la secuencia de sonidos /kása/ (significante). La asociación entre ambos es resultado de un acuerdo tácito entre los hablantes de una misma lengua. Por ello, en cada lengua se emplean palabras distintas para referirse al mismo concepto (*house*, inglés; *maison*, francés).

2. *Carácter lineal del significante:* El significante se desarrolla en el tiempo y en el espacio; los significantes acústicos se presentan uno tras otro y forman una cadena.

3. *Mutabilidad e inmutabilidad del signo:* Desde un punto de vista diacrónico (estudio de la evolución a través del tiempo) puede cambiar o incluso desaparecer, por lo que puede ser mutable. Ahora bien, desde el punto de vista sincrónico (estado en un momento determinado) el signo no puede cambiar, no puede modificarse, es inmutable.

4. *Doble articulación del signo:* La primera articulación descompone el signo en monemas, que son unidades mínimas que poseen significante y significado. En la segunda articulación, cada monema se articula, a su vez, en su significante, en unidades más pequeñas carentes de significado que son los fonemas. Los fonemas son pues las unidades mínimas de la segunda articulación que poseen significante, pero no significado. Esta doble articulación permite crear un gran número de palabras e infinidad de mensajes.

Funciones del lenguaje

En todo acto de comunicación el lenguaje entra en contacto con los diferentes elementos que forman el esquema de la comunicación. El filósofo alemán Bühler analiza la relación que el mensaje guarda con los elementos básicos, estableciendo tres partes: el referente (las cosas), el emisor (uno) y el receptor (otro).

- **Función enunciativa:** Plantea los recursos lingüísticos elementales, como son: la entonación neutra, el modo indicativo, la adjetivación específica y un léxico exclusivamente denotativo. Ejemplo: «El cordero blanco».
- **Función representativa o referencial:** Es la base de toda comunicación. Define las relaciones entre el mensaje y la idea u objeto al cual se refiere. El hablante trasmite al oyente unos conocimientos; informa de algo objetivamente sin que el hablante deje traslucir su reacción subjetiva. Sus recursos lingüísticos son: adjetivación explicativa, términos denotativos, modo subjuntivo. Ejemplo: «Mis deseados beneficios están creciendo».
- **Función expresiva o emotiva:** Está orientada en función del emisor. Define las relaciones entre emisor y mensaje. Expresa la

actitud del emisor ante el objeto; a través del mensaje captamos la interioridad del emisor. Se utiliza para trasmitir las emociones, los sentimientos o las opiniones de quien habla. Sus recursos lingüísticos son: vocativos, imperativa, oraciones interrogativas (utilización deliberada de elementos adjetivos valorativos, términos connotativos, pero siempre que todo esto esté destinado a llamar la atención del oyente). Ejemplo: «Emilio, inscríbete en este curso».

- **Función apelativa o conativa:** Define las relaciones entre el mensaje y el receptor; está centrada en el receptor. Se produce cuando la comunicación pretende obtener una relación del receptor intentando modificar su conducta interna o externa. Es la función del mandato y de la pregunta. Sus recursos lingüísticos son: los de literatura (metáforas, hipérboles…). Ejemplo: Frases hechas, metáforas, frases poéticas, como pueden ser «En abril aguas mil», «El tiempo vuela», «Rexona nunca te abandona».
- **Función poética o estética:** Define la relación del mensaje con él mismo. Esta función aparece siempre que la expresión utilizada atrae la atención sobre su forma. Se da esencialmente en las artes donde el referente es el mensaje que deja de ser instrumento para convertirse en objeto (el mensaje tiene fin en sí mismo). Generalmente se asimila esta función a la literatura, pero se encuentra también en el lenguaje oral y cotidiano. Ejemplos: el típico «Sí…, sí…, sí…» del teléfono, fórmulas de cortesía como «Hola», «Adiós», «Buenos días…», muletillas, «Eh…, eh…», la charla intrascendente en el ascensor con un vecino.
- **Función fática:** Es la función orientada al canal de comunicación, su contenido informativo es nulo o muy escaso. Esta función produce enunciados de altísima redundancia. Su fin es consolidar, detener o iniciar la comunicación. El referente del mensaje fático es la comunicación misma. Esta función la constituyen todas las unidades que utilizamos para iniciar, mantener o finalizar la conversación.
- **Función metalingüística:** Es la función centrada en el código; aparece cuando la lengua se toma a sí misma como referente, es decir, cuando el mensaje se refiere al propio código. Cuan-

do utilizamos el código para hablar del código. En la función metalingüística se somete el código a análisis. La gramática, los diccionarios y la lingüística utilizan la función metalingüística. Ejemplo: las clases de lengua, buscar una palabra en un diccionario.

Todas estas funciones pueden concurrir simultáneamente, mezcladas en diversas proporciones y con predominio de una u otra según el tipo de comunicación.

Capítulo 2

AXIOMÁTICA

En las ciencias, los axiomas son los enunciados básicos e incuestionables que dan sentido y permiten el desarrollo de su estructura. Puede compararse, en otro orden de cosas, con la constitución de un país. En nuestro caso, consideraremos a continuación cuatro axiomas que nos ayudarán a comprender y situar mejor el hecho de la comunicación.

Axiomas de la comunicación

Los axiomas que consideraremos en los procesos de comunicación son:

1. La imposibilidad de no comunicar.
2. Interacción, simétrica y complementaria.
3. Comunicación digital y analógica.
4. Nivel de contenido y relación.

A continuación nos iremos deteniendo en cada uno de ellos.

La imposibilidad de no comunicar

La forma en que nos comunicamos nos afecta invariablemente. Pero si observamos en profundidad el proceso completo de la comunicación llegaremos a la conclusión de que es imposible que no nos comuniquemos. Porque todo comportamiento tiene un valor comunicacional. Por ello mismo, todo lo que hacemos, intencionadamente o no, conlleva alguna forma de comunicación. La comunicación implica un conjunto fluido y multifacético de modos de conducta. Entre ellos podemos observar las conductas verbales, gestuales, tonales y otras que iremos viendo. En la vida, tal y como la conocemos, resulta imposible dejar de adoptar algún tipo de comportamiento. Tanto la actividad como la inactividad, las palabras o los silencios, tienen siempre un valor de mensaje y por ello influyen sobre los demás. Cualquier tipo de comunicación implica un compromiso, por lo tanto, define el modo en que la persona que emite un mensaje induce una relación con la persona destinataria de éste.

Interacción, simétrica y complementaria

Tales interacciones son las relaciones basadas en la igualdad o en la diferencia. Una relación simétrica es aquélla en la que sus integrantes intercambian el mismo tipo de comportamientos. Por ello facilita que se acentúen en ella las igualdades, ya se relacionen con la debilidad o la fuerza, sean positivas o negativas. En tales casos las diferencias tienden a ser despreciables por su poca intensidad. Una relación complementaria es aquélla en la que dos personas intercambian diferentes tipos de comportamiento y éstos se complementan. O sea, la conducta de uno complementa la del otro. En este caso, la relación se da desde un máximo de diferencia. Un integrante ocupa la posición superior o primaria y el otro ocupa la posición inferior o secundaria. Estas posiciones no deben confundirse con los juicios de valor de bueno o malo ni de fuerte o débil ya que una relación complementaria puede estar establecida por el contexto social, como en los casos de maestro-alumno, médico-paciente o madre-hijo. Si una persona se define, con el beneplácito implícito o explícito del resto, como la única en un grupo capaz de tomar decisiones y manejar asuntos importantes, los demás deberán aceptar esa definición y cambiar su autopercepción, aun cuando pensaran que son igualmente capaces de hacerlo. Una relación metacomplementaria es aquélla en la que A permite u obliga a B a generar algún tipo de control sobre la relación. En este caso entran las x de manipulación. La experiencia nos dice que las relaciones simétricas tienden a establecer una mejor retroalimentación.

Comunicación digital y analógica

En la forma de comunicación digital, el objeto o situación son expresados por un conjunto de signos arbitrarios y convencionales, que no guardan relación con dicha situación, objeto o concepto. Podemos ver un ejemplo de esto en un reloj digital o en los datos de una computadora. En la forma de comunicación analógica se aprecia una semejanza con el objeto real. Esto ocurre, por ejemplo, en el dibujo de un objeto o en un reloj analógico. Las palabras son signos arbitrarios que se utilizan de acuerdo con la sintaxis lógica del lenguaje. Se trata de una convención semántica de éste y fuera de este ámbito no existe ninguna otra correlación entre la cosa y la palabra que la representa, a excepción de las onomatopéyicas. No hay nada parecido a cinco en el número cinco, o a mesa en la palabra mesa, al menos en las lenguas tal y como hoy las entendemos y usamos. En la comunicación analógica hay algo particularmente similar a la cosa en lo que se utiliza para expresarla. Esta última se relaciona con todo lo que conocemos como comunicación no verbal. Es fácil decir algo incierto verbalmente pero muy difícil llevar una mentira al campo de lo analógico. Un gesto, una expresión facial, puede revelar más que cien palabras. En la comunicación humana, la dificultad inherente de traducir existe en ambos sentidos. Por ejemplo, hablar acerca de una relación requiere traducción adecuada del modo analógico de comunicación al modo digital.

Niveles de contenido y relación

La comunicación no sólo trasmite información sino que impone conductas. Toda comunicación denota dos niveles de referencia. En uno se alude a lo informativo, como ocurre con el contenido de un mensaje, y en el otro se hace referencia al nivel relacional de los términos o contenidos, al cómo se dice, que nos lleva a observar las consecuencias en el plano relacional. Vemos así que toda comunicación se manifiesta en un intercambio de niveles de contenido y de relación. Los participantes de un proceso de comunicación pueden estar de acuerdo en el nivel de contenido, sin estarlo en el nivel relacional. A su vez, también puede darse lo contrario; que los participantes de un proceso de comunicación estén de acuerdo en el nivel relacional pero no en el contenido. Incluso puede darse que quienes participan en un proceso comunicacional no coincidan ni en el nivel de contenido ni en el de relación. Pero también puede darse el caso de que los participantes del proceso estén de acuerdo en ambos niveles. La capacidad para metacomunicarse es condición *sine qua non* de la comunicación eficaz. Entendiendo por metacomunicación el proceso en que nos comunicamos sobre cómo se produce tal comunicación. Establecemos en esta forma un nivel de relación con los demás que va a ser definitivo para la comunicación con ellos. Cuando nos comunicamos pretendemos siempre que la otra persona capte nuestro mensaje para que nos aporte nuevos elementos y fluya el diálogo. Por ello mismo, no es tan importante lo que decimos sino cómo lo decimos; el nivel de impacto que provocamos en la otra persona.

Capítulo 3

LA COMUNICACIÓN GENERA REALIDADES INTERNAS Y EXTERNAS

La comunicación es un arte. Los seres humanos tenemos el poder de hacer que ciertas cosas sucedan a través del lenguaje. Este último es generativo, crea realidades: el lenguaje es acción.

Al comunicarnos no sólo hablamos, sino que alteramos el curso espontáneo de los acontecimientos. Cuando dices «Sí», «No» o «Hasta aquí» intervienes en lo que hubiera sido el devenir normal de tu vida. ¿Cuán diferente hubiera sido la historia de un país si alguien hubiera callado y no hubiese dicho lo que dijo? También a nivel personal hay muchas frases que se dijeron que cambiaron el rumbo de tu vida. Teniendo esto en cuenta, ¿cómo podemos dejar la comunicación en manos del azar?

El lenguaje como generador de realidades

¿Qué pasaría si al relacionarnos con nuestra pareja, hijos, familia, amigos y colaboradores lo hiciéramos de manera diferente, si las empresas e instituciones públicas se relacionaran de una manera más empática; si los presidentes de los diferentes países tuvieran una comunicación eficaz?

Vamos a observar a continuación una serie de elementos esenciales para la comunicación, desde el punto de vista de la forma en que influyen o afectan nuestras vidas o las de otras personas.

Contexto

Es el medio en el que ocurre la comunicación, es decir, lo anterior y lo posterior a lo que se dijo.

Diferentes tipos de contexto:

Físico:
Son los factores físicos que determinan dónde se produce la comunicación. El lugar, la hora o la distancia de los comunicantes.

Social:
Es la naturaleza de las relaciones que existen entre los participantes. Hay diferentes formas de interactuar. Éstas dependen de la relación que tengamos con la otra persona. Puede ser una relación familiar, de amistad, de trabajo u otras.

Histórico:
Son los antecedentes producidos antes de la comunicación que hacen que haya un entendimiento en la comunicación actual.

Psicológico:
En este caso hablamos del humor y los sentimientos que cada persona aporta a la comunicación.

Cultural:
Son las creencias, los valores o las normas que se comparten entre un gran grupo de personas.

A continuación veremos un ejemplo en el que se englobarán todos los contextos mencionados anteriormente:

«Carlos y Marta son amigos del colegio (cont. social), y quedan en una cafetería que conocen hace tiempo a la misma hora todos los días (cont. físico), hablan del problema de la inmigración (cont. cultural), sobre una mala experiencia con un inmigrante la semana pasada y las buenas experiencias que tiene Marta todos los días gracias a su trabajo (cont. histórico). Carlos está de mal humor y ansioso, mientras que ella trasmite relajación y comprensión (cont. psicológico)».

Canales

Existen cinco canales sensoriales por los que se trasmite la comunicación. Cuantos más usemos, más probabilidades tendremos de lograr una comunicación eficaz.

Ruido

El ruido *externo* son los sonidos, miradas y otros estímulos que distraen la atención de los participantes.

El ruido *interno* son los pensamientos y sentimientos internos que interfieren con la comunicación.

El ruido *semántico* es el que consiste en los significados no intencionados que se generan por ciertos símbolos que inhiben la precisión a la hora de descifrar el mensaje.

Retroalimentación

Es la respuesta al mensaje. Indica a la persona que lo emite si su mensaje se escuchó, se entendió y cómo se hizo. Resulta conveniente estimular tanta retroalimentación como lo permita la situación.

La comunicación tiene siempre un propósito, consciente o no. El propósito de la comunicación puede ser trivial o serio, pero lo importante es saber si se ha logrado alcanzar el objetivo marcado. Aunque no siempre quienes emiten los mensajes son conscientes de sus objetivos.

Debido a que la comunicación parece ser un comportamiento natural, innato, rara vez intentamos mejorar nuestras habilidades por muy inadecuadas que éstas puedan ser, pero la comunicación se aprende y por lo tanto podemos mejorarla.

Ambientes

Podemos interactuar con una persona o en un grupo pequeño e informal. Esta comunicación se enfoca en escuchar y responder enfáticamente, compartir información personal, sostener conversaciones eficaces y en desarrollar, mantener y mejorar las relaciones.

Resolución de problemas

La comunicación en el grupo que resuelve algún problema se concentra en la intención del grupo, en la resolución de problemas y la toma de decisiones; en el liderazgo. La comunicación del grupo se levanta sobre el fundamento de las habilidades de la comunicación interpersonal.

Hablar en público

Consiste en preparar y exponer mensajes relativamente formales a una determinada audiencia, en ambientes públicos. Es esencial determinar los objetivos, reunir y evaluar el material, organizarlo y elaborarlo, adaptarlo a una audiencia específica, y presentar la conferencia, así como variaciones en el procedimiento para el intercambio de información y la persuasión.

Ejercicios

Vamos a plantear a continuación una serie de ejercicios que nos permitan concretar y comprobar los niveles de comprensión de lo que hemos venido tratando:

Identificar elementos del proceso de comunicación:

En la siguiente escena, debes identificar el contexto, los participantes, el canal, el mensaje, el ruido y la retroalimentación:

«María y su hija Cristina están de compras. Al entrar en una elegante tienda de ropa, Cristina, que se siente particularmente feliz, ve un vestido que desea. Con mucho entusiasmo y dinamismo, dice: "¡Qué vestido tan bonito!, ¿me lo puedes comprar?, ¡por favor, mamá!". María, que piensa en lo difícil que resulta administrar el dinero, frunce el ceño, encoge los hombros y dice, distraída: "Bueno…, sí…, tal vez". Cristina, percatándose del nerviosismo de su madre, añade: "¡Sólo cuesta cincuenta euros!". Entonces, María se relaja, sonríe y dice: "Sí, es bonito ese vestido; pruébatelo. Si te queda bien, lo compramos"».

Procesos de comunicación:

Piensa ahora en dos procesos de comunicación recientes, en los que participaste.

Uno debe haberte producido satisfacción, es decir, la sensación de que te ha ido muy bien.

El otro, por el contrario, debe haberte dejado la sensación de que fue un desastre.

Compáralos. Describe el contexto en el que ocurrieron, los participantes, las reglas que parecían dirigir tu conducta y la de los otros participantes, los mensajes que se utilizaron, los canales empleados, cualquier ruido que pudo interferir, la retroalimentación que se compartió y el resultado.

Elaborar declaraciones de objetivos, por escrito:

Para obtener el máximo aprovechamiento de lo que estamos tratando, te sugiero que establezcas metas personales para perfeccionar habilidades específicas en tu repertorio de comunicación interpersonal, de grupo y en público, escribiendo las correspondientes declaraciones de objetivos. Como procedimiento adecuado, te ofrezco una serie de etapas de apoyo:

Describir un problema

Describir un objetivo específico

Esbozar un procedimiento

Esbozar un procedimiento específico para alcanzar el objetivo, como por ejemplo, identificar el sentimiento específico que se experimenta, codificar con exactitud la emoción que se siente, incluir lo que ha desatado el sentimiento, hacer mío el sentimiento, poner en cuestión el sentimiento.

Fórmula de comprobación

Plantéate una fórmula o medio de comprobación para determinar cuándo se alcanza el sentimiento.

Establecer una meta implica determinar sus requisitos mínimos, para saber cuándo se alcanza el objetivo.

Escuchar

Podemos entender el hecho de escuchar como aquel proceso en el que recibimos, atendemos y asignamos significado a los estímulos auditivos y visuales. Para lograrlo, debemos tener en cuenta varios factores:

Atender

Es el proceso perceptivo de seleccionar y centrar nuestra atención en estímulos específicos, de entre los innumerables estímulos que llegan a nuestros sentidos.

Cuatro sugerencias para enfocar la atención:

- Prepararse de forma física y mental para escuchar, evitando pensamientos que nos distraigan y esforzándonos por concentrarnos en lo que nos dicen.
- El cambio de emisor a receptor, en una conversación, debe ser completo. Normalmente, este proceso se da con un grado de dinamismo tan alto que puede resultar difícil realizar estos cambios completamente, por ello se requiere entrenamiento y voluntad.

- Escuchar con atención a la persona que habla, antes de reaccionar. Es importante cultivar el hábito de esperar a que la persona que habla termine su reflexión, antes de dejar de escuchar o intentar responder. Al dejar de escuchar prematuramente, las palabras de la persona que habla tienden a desanimarnos.
- Ajustarse a los objetivos de la conversación. Cuando se escucha por placer no hace falta escuchar con mucha intensidad.

Entender

Consiste en descifrar un mensaje de manera precisa. Esto ocurre cuando se le asigna un significado conveniente. Para entender totalmente lo que alguien quiere decir, se requiere una escucha activa utilizando la empatía, haciendo preguntas y paráfrasis, como elementos de comprobación.

Empatía

Consiste en identificarse intelectualmente o experimentar a modo de resonancia los sentimientos, actitudes y emociones de otra persona.

- Sensibilidad simpática: Acontece cuando se experimenta una respuesta emocional paralela.
- Cambio de perspectivas: Imaginarnos y sentirnos en el lugar de la otra persona es la forma más común de empatizar.
- Sensibilidad compasiva: Acontece como un sentimiento de interés, emoción compartida o tristeza, debido a la situación de la otra persona.

Preocupación

Prestar atención a lo que los otros dicen y a lo que podrían estar sintiendo mientras hablan, antes de pasar a actuar o llevar a cabo una decisión. Resulta conveniente, en este caso, tomar distancia sobre las propias dudas o temores, a la hora de ponernos en el lugar de la otra persona. Es importante observar con serenidad el comportamiento de la otra persona para poder leer sus mensajes no verbales.

Preguntar

Las personas que escuchan de forma auténtica, preguntan con el fin de obtener más información, aclarar o confirmar el mensaje escuchado.

Para preguntar de forma correcta conviene tener en cuenta:

- Elaborar las preguntas de forma específica; concreta.
- Formularlas como si fueran declaraciones completas.
- Revisar los elementos no verbales para trasmitir un interés sincero.
- Asumir la propia ignorancia sobre el tema en cuestión. Es importante conocer el tipo de información que se necesita para mejorar la comprensión del mensaje.

Parafrasear

La paráfrasis centra su atención en el contenido, en los sentimientos que contienen el contenido o ambos.

Veamos el proceso en relación con un ejemplo:

Enunciado: «Hace cinco semanas entregué a mi asesor del proyecto el manuscrito revisado de mi investigación. Me sentía muy bien. Pensé que los cambios realizados mejoraban mis explicaciones. Pues bien, ayer pasé a retirar el manuscrito y mi asesor dijo que no veía en él ninguna diferencia con el primero».

Paráfrasis de contenido: «Déjame ver si lo entiendo. Tu asesor pensó que no habías hecho ningún cambio en tu trabajo, aunque tú te esforzaste mucho en mejorarlo, por lo que pensabas que este borrador era diferente y mucho mejor».

Paráfrasis de sentimientos: «Siento que estás realmente frustrado porque tu asesor no reconoció los cambios realizados».

Combinación: «Tu asesor no pudo ver las diferencias realizadas pero piensas que tu segundo borrador es mucho mejor, por lo que sus comentarios te han irritado mucho».

Con la paráfrasis pretendemos manifestar lo que entendimos del mensaje, para dar un sentido pleno a lo que captamos del emisor.

Recordar

Recordar es la capacidad de retener la información y rememorarla o revivirla cuando sea necesario.

Para retener la información o potenciar la memoria en la intercomunicación, podemos ejercitarnos. Propuestas:

Repetición o reiteración

Repetir cíclicamente los temas tratados ayuda a los receptores a mantener esa información en su memoria a largo plazo. Es un refuerzo necesario. Cuando no se realiza el esfuerzo, se mantiene en la memoria a corto plazo y se desvanece en poco tiempo.

Construcción mnemotécnica

Ayuda a organizar la información de tal manera que sea más fácil de recordar. Un proceso mnemotécnico es cualquier estructura artificial que se utiliza como apoyo de la memoria. Por ejemplo: recordar una serie de palabras, creando una nueva a partir de la primera letra de cada una de ellas.

Tomar notas

Es una buena técnica para conversaciones telefónicas, entrevistas o reuniones de trabajo. No se da en relaciones informales. Conviene que sea una lista de tres o cuatro objetivos o conceptos principales (o grupos de tres, separados unos de otros). A partir de ellos debe sernos fácil relacionarlos y desarrollarlos mentalmente. También puede realizarse un breve resumen, manteniendo esta estructura clara.

Analizar con sentido crítico

Proceso para determinar el grado de certeza, autenticidad y credibilidad que otorgamos a la información recibida.

Para ello, nos conviene:

Distinguir las afirmaciones objetivas de las suposiciones

Declaraciones objetivas son aquéllas cuya precisión puede ser verificada o probada. Las suposiciones son elaboraciones o dudas basadas en la observación o en el hecho en cuestión, pero no necesariamente ciertas.

Evaluación de las suposiciones

Han de evaluarse examinando el contexto en el que ocurren. Una suposición tiende a presentarse como parte de un argumento. Cuando alguien plantea una supuesta duda, puede presentar argumentos complementarios en apoyo de ésta.

Preguntas que nos podemos hacer:

- ¿Existe información objetiva que apoye la suposición?
- ¿El planteamiento objetivo es importante con respecto a la suposición?
- ¿Existe alguna información conocida que condicione la suposición para seguir argumentando de forma lógica, en relación con las afirmaciones objetivas?

Enfatizar un argumento en forma constructiva

Cuando respondemos enfáticamente a favor de la argumentación planteada, damos muestras de haber entendido y confirmamos el derecho de quien argumentó a mostrar sus sentimientos.

Existen dos formas de respuesta enfática constructiva:

- preguntar
- parafrasear

Apoyar

Las respuestas de apoyo son declaraciones reconfortantes cuyo objetivo es confirmar, tranquilizar, consolar, reafirmar, etc.

Pueden apoyarse en:

- sentimientos positivos
- sentimientos negativos

Al reconocer el derecho de la persona a tener sentimientos negativos, ayudamos a que puedan superarse. Una muestra apropiada de consuelo genera empatía y muestra buena disposición para involucrarse de manera activa, si fuera necesario.

Dar respuestas de apoyo apropiadas puede ser más difícil en situaciones de mucha tensión y alteración emocional. A veces, la mejor respuesta de apoyo consiste en no decir nada y acompañar con un gesto. (comunicación no verbal).

Conviene:

- Escuchar con atención lo que se dice.
- Empatizar con los sentimientos predominantes.
- Responder de forma coherente con el sentimiento identificado.
- Complementar con respuestas no verbales apropiadas.
- Si es necesario, expresar la disposición para ayudar.

Interpretar

Las respuestas de interpretación ofrecen una explicación razonable o alternativa para un evento o circunstancia, con el objetivo de ayudar a entender la situación desde una perspectiva diferente.

No sólo consiste en tranquilizar sino también en ayudar a mirar desde un punto de vista distinto o reforzar una información que se puede haber pasado por alto.

Conviene:

- Escuchar con atención.
- Pensar en otras explicaciones razonables, sugiriendo la que parece mejor.
- Expresar una alternativa a la propia interpretación, para ayudar a ver la posibilidad de otras interpretaciones.
- Procurar iniciar la interpretación con una repuesta de apoyo.

Conclusión

Escuchar es un proceso que requiere atender, entender, rememorar, analizar de una manera crítica y responder de modo empático.

Para conseguirlo, nos conviene:

- Prepararnos para escuchar.
- Darse tiempo para pasar de emisor a receptor.
- Escuchar completamente, antes de hablar.
- Ajustar la atención a los objetivos de escucha en cada situación.

Ejercicios

El objetivo de estos ejercicios es aclarar dudas y mejorar en tu conocimiento, para desarrollar tus habilidades.

Responde para tus consideraciones futuras:

Acercamientos

¿En cuál de estos tres acercamientos consideras que te encuentras con más frecuencia?

- sensibilidad empática
- ampliación de perspectivas
- sensibilidad compasiva

Circunstancias

¿En qué circunstancias te resultaría más difícil llevar a cabo cada uno de los acercamientos anteriores?

Escribe

Escribir una pregunta y una paráfrasis (de contenido y sentimiento) para cada uno de los siguientes enunciados:

- José: «Es el cumpleaños de Luisa y he planeado una gran noche. A veces pienso que ella cree que no la tomo en serio. Esta noche se aclarará y sabrá lo que pienso de ella; será especial».
- Carmen: «Yo no sé si tiene que ver conmigo o con mi madre, pero últimamente no nos llevamos bien».
- Pedro: «Todos hablan de la película que anoche emitieron en Antena 3, pero yo no la pude ver. No estoy muy al tanto de lo que ocurre en la caja *tonta*».
- Julia: «Tengo que aprobar para terminar la carrera cuanto antes. Así podré quedarme fija en mi nuevo trabajo. Aunque no estoy segura de alcanzar los objetivos marcados por mis profesores. Sin embargo, me he esforzado todo lo que he podido».

Lee

Lee algún artículo de cualquier revista y realiza un resumen de él en un par de minutos.

Piensa

Piensa en alguna situación reciente, en la que alguien te habló sobre un suceso en que sintió miedo, desilusión, una herida emocional o enfado. ¿Trataste de consolar a esa persona? ¿Intentaste ofrecer interpretaciones alternativas? ¿Eso ayudo? De no ser así, ¿por qué? Después de lo explicado antes, a este respecto, ¿qué crees haber aprendido?

Descubrimiento y retroalimentación

La comunicación personal efectiva debe proporcionarnos algún tipo de descubrimiento en el proceso.

Descubrimiento

Se logra al compartir información biográfica, ideas personales o sentimientos nuevos; auténticos.

Para lograrlo, conviene:

- Revelar información personal sobre temas que nos gustaría escuchar. En las primeras etapas, suele tratarse de información superficial, como pueden ser los pasatiempos, deportes, actividades formativas o profesionales y opiniones sobre hechos de actualidad.
- Revelar más información íntima sólo cuando suponga un riesgo aceptable. Siempre existe un riesgo implícito, pero la confianza paulatina permite comprobar que no se acarrean consecuencias negativas.
- Avanzar tan sólo cuando existe correspondencia. Cuando parece que no es así, debe limitarse el proceso.
- Aumentar el nivel de confidencia de manera gradual. Esto genera profundidad en la relación comunicativa.
- Evitar excesos de comunicación íntima o muy personal en las relaciones recientes. Antes de generar lazos de confianza, puede generarse rechazo o alejamiento.

Sentimientos de descubrimiento

En el proceso hacia la confidencia íntima se encuentra el deseo de compartir sentimientos con otra persona. Esto es un riesgo. Al hacerlo, nos volvemos vulnerables. Para evitar el exceso de vulnerabilidad, podemos contener o enmascarar tales sentimientos. Por otra parte, en el caso de exponerlos, podemos hablar explícitamente sobre ellos o describirlos.

- Sentimientos contenidos o disfrazados. Hay personas que procuran gesticular poco en sus relaciones, para evitar que nadie sepa si se sienten heridas, ilusionadas o tristes. Mantener una actitud así puede ocasionar problemas psicológicos y somatizaciones. Tales personas suelen dar una imagen de frialdad, reserva y aburrimiento. No obstante, se pueden disfrazar o contener ciertos sentimientos puntualmente.

- Expresar los sentimientos. Aunque los sentimientos pueden acompañarse con mensajes verbales, lo natural es hacerlo a través de conductas no verbales. Por ello, cuando las emociones son muy intensas, los gestos tienden a serlo también y pudieran llegar a incomodar. Para evitarlo, podemos entrenarnos en describir lo que sentimos, como si fuera un proceso ajeno.

- Describir los sentimientos consiste en hablar sobre una emoción sin juzgarla. Esto aumenta las posibilidades de una interacción positiva y disminuye las de generar cortocircuitos en la comunicación. También puede ofrecer pautas sobre cómo deseamos ser tratados, al explicar los efectos de ciertos comportamientos.

Razones por las que no se describen los sentimientos:

❖ Vocabulario pobre para describir lo que se siente. Es necesario ampliar el «vocabulario emocional».

❖ Miedo al exceso de vulnerabilidad. Si no se asume algún riesgo, no será posible desarrollar relaciones duraderas y satisfactorias.

❖ Exceso de sentimientos de culpa.

❖ Miedo a producir dolor a otros o a la relación. Pero describir los sentimientos ofrece oportunidades para mejorar y lograr bienestar.

❖ Aprendizajes y condicionamientos culturales. En algunas culturas, la armonía del grupo o de la relación se considera más importante que los sentimientos personales.

Ofrecer retroalimentación

Cuando enfatizamos una conducta y logros positivos, ofrecemos una retroalimentación valiosa mediante elogios. Cuando necesitamos identificar comportamientos y acciones negativas o dañinas, podemos proporcionar una retroalimentación a través de la crítica constructiva.

Elogiar

Puede utilizarse para reforzar una conducta positiva y ayudar a otra persona a desarrollar una concepción valiosa de sí misma. Al emitir un elogio, generamos una retroalimentación dando a entender a quien se dirige que aquello hecho o dicho es valioso. Pero no debe confundirse el elogio con la adulación. En esta última se usan alabanzas excesivas y poco sinceras. Cuando elogiamos, nuestra expresión debe ser adecuada a la conducta referida. Trasmitimos admiración sólo cuando la sentimos de forma auténtica.

Para elogiar de forma adecuada conviene tener en cuenta:

- Concretar la conducta que se quiere reforzar.
- Describirla de forma específica.
- Expresar los sentimientos positivos o sus consecuencias vividas a raíz de tal conducta.

Ofrecer una crítica constructiva

Consiste en describir conductas o acciones negativas específicas y sus efectos sobre los demás. Esta habilidad no se basa en juzgar sino en empatizar. Aquí se encuentra la clave fundamental. Para ofrecer una crítica constructiva, debemos comenzar procurando empatizar con la persona en cuestión, teniendo en cuenta su posible reacción a nuestra retroalimentación. Si esto ocurre de forma adecuada se pueden fortalecer las relaciones y mejorar las interacciones, pero si no se consigue empatizar se producirán malentendidos que pueden dañar las relaciones y generar interacciones defensivas. Antes de ofrecer una retroalimentación de este tipo, habría que saber si la persona está interesada en escucharla y restringir los comentarios a la conducta.

Será más eficaz el resultado teniendo en cuenta lo siguiente:

- Describir la conducta precisando lo que se dijo o hizo sin juzgarla como buena o mala, correcta o incorrecta. Una retroalimentación precedida por una descripción detallada tiene más posibilidades de evitar una reacción defensiva. La descripción muestra una reflexión sobre una conducta y no un ataque a la persona, sugiriendo una posible solución.

- Antes de expresar lo negativo debe considerarse algún aspecto positivo. Es una buena alternativa comenzar con un elogio sincero.
- Concretar todo lo que sea posible. Así será más fácil entender lo que se necesita cambiar.
- Cuando sea apropiado, debe sugerirse un comportamiento alternativo. El enfoque central de la crítica constructiva es ayudar, por ello es conveniente proporcionar sugerencias para lograr un cambio positivo.

Ejercicios

Clasificar

Clasificar las propuestas que siguen con:

- *B* (bajo riesgo) si consideras apropiada esta información para decir a cualquier persona.
- *M* (riesgo moderado) si crees apropiado decirlo a personas que conoces, con un cierto grado de amistad.
- *A* (alto riesgo) si crees que esto sólo se puede decir a amigos con los que se tiene una gran confianza; amigos íntimos.
- *X* (riesgo inaceptable) si crees que es inapropiado siempre.

- ❏ Hablar de pasatiempos, de cómo te gusta pasar tu tiempo libre.
- ❏ Preferencias y aversiones musicales.
- ❏ Antecedentes de educación y sus sentimientos al respecto.
- ❏ Opiniones personales sobre política interior y exterior.
- ❏ Opiniones religiosas personales y costumbres religiosas.
- ❏ Hábitos y reacciones que te molestan en este momento.
- ❏ Características que te llenan de orgullo y satisfacción.
- ❏ Acciones de las que te arrepientes en tu vida y por qué.
- ❏ Sueños y deseos principales insatisfechos.

- ❏ Sentimientos de culpa.
- ❏ Opiniones sobre la forma en que un marido o esposa debe vivir en su matrimonio.
- ❏ Qué hacer para mantenerse en forma.
- ❏ Aspectos de tu cuerpo que te generan más satisfacción.
- ❏ Rasgos que te generan más insatisfacción y que deseas cambiar.
- ❏ Persona que te genera más resentimiento y las razones.

Comentar con otras personas la situación. El objetivo no es decir nada de esto a otra persona sino reflexionar sobre lo adecuado o no y en qué circunstancias. El ejercicio ayudará a reconocer las variaciones en lo que se ve como apropiado o no, proporcionando una información muy útil.

Expresar sentimientos

Comentar con otra persona situaciones hipotéticas que generan reacciones y explicar los sentimientos generados. Por ejemplo, un amigo entra en tu casa y coge prestado el coche sin pedir permiso; más tarde, regresa y devuelve las llaves diciendo: «Gracias por el coche».

Comunicar sentimientos

Elegir un tema de conversación que provoque controversia, en un grupo de 4 o 5 personas. Ha de ser del interés de todos los miembros del grupo y generar diversos sentimientos. Una persona debe actuar como observadora. El resto de los participantes mantendrán una conversación de diez minutos sobre el tema. La persona que observa llevará el registro del número de veces que los participantes atribuyen sus reflexiones y sentimientos a otros y a sí mismos, con afirmaciones en primera persona. También deberá observarse cuándo los participantes describen sus sentimientos contrapuestos, los muestran o los contienen.

Retroalimentación constructiva

Considera las siguientes situaciones y escribe retroalimentación constructiva para cada una de ellas. Después comenta tus expresiones de retroalimentación con otras personas.

- Te diriges a clase en coche con un compañero. Lo conoces hace tres semanas. Todo es correcto, excepto que él conduce demasiado rápido para tu gusto.
- Una buena amiga tiene una muletilla que repite más de una vez en cada frase. Te cae muy bien, pero ves que hay otros que empiezan a evitarla. Ella es muy sensible y no suele recibir bien la retroalimentación.

Comunicarse en las relaciones

La forma en que nos comportarnos y comunicamos en las relaciones es diferente según los casos. Podemos distinguir, en principio, las que tienen un sentido personal y las impersonales.

Relación impersonal

Una relación es impersonal si cualquiera de las dos partes se relaciona solamente en función del rol profesional o actividad de servicio que desarrolla la otra, como puede ser el caso de un camarero o un recepcionista.

Relación personal

Una relación es personal cuando cada persona se relaciona con la otra de forma única. En estos casos, solemos clasificar, consciente o inconscientemente, a estas personas como *conocidos, amigos, amigos cercanos o íntimos.*

Conocidos
Son aquéllos de quienes sabemos su nombre y con quienes hablamos cuando surge la oportunidad o tenemos cierto trato, pero con quien nuestra interacción es en gran medida impersonal.

Amigos

Con ellos desarrollamos relaciones más personales, de manera voluntaria. Éstas se encuentran marcadas por los grados de bienestar, confianza, confidencia, compromiso y esperanza de que la relación crezca y perdure.

- Los amigos se dedican tiempo porque disfrutan de la compañía mutua, la conversación y de compartir experiencias.
- Generan confianza. Se mantiene la creencia de que un amigo no perjudicará nuestros intereses intencionalmente.
- Comparten sus sentimientos personales.
- Muestran un alto nivel de compromiso, sacrificando tiempo y energía para ayudarse.
- Creen que su relación es perdurable.

Amigos cercanos o íntimos

Son aquéllos con quienes compartimos nuestros sentimientos más profundos. En ellos se potencia el grado de bienestar, confianza, confidencia y compromiso en su relación.

La comunicación en las diferentes etapas de relación

Dos relaciones nunca se desarrollan exactamente de la misma manera. Sin embargo, tienden a avanzar siguiendo una serie de etapas generales:

Etapa inicial o de construcción

En ella es fundamental la necesidad de información; compartirla sobre nosotros mismos y buscarla sobre los otros, para determinar si deseamos desarrollar la relación. Tiene como objetivo la reducción de la incertidumbre.

La información se obtiene:

- de manera pasiva, al observar su comportamiento,
- de manera activa, solicitándola,
- de manera interactiva, al conversar.

Hay varios elementos de comunicación importantes en el inicio:

Primeros minutos
Los primeros minutos de una conversación suelen tener un profundo efecto en la naturaleza de la relación que se desarrolle.

Conviene centrarse en:

* la propia presentación formal o informal,
* referencia al contexto, reflexiones o sentimientos,
* la otra persona.

Siguientes
Cuando se comienza una conversación, es probable que se mantenga en un sentido trivial, con un nivel de riesgo relativamente bajo. En el intercambio de ideas, se suele compartir información en relación con hechos, opiniones y creencias, que de manera ocasional reflejan valores. También pueden compartirse rumores, cuyo grado de veracidad puede ser desconocido, sobre personas mutuamente conocidas.

Profundización
Poco a poco se comienza a hablar sobre cuestiones más serias y a compartir sentimientos acerca de asuntos importantes. Cuando se encuentra satisfacción al estar juntos y se comprueba la capacidad de compartir ideas y sentimientos, la relación crece.

Estabilidad
Cuando se logra una relación satisfactoria, se busca su estabilidad, es decir, mantenerse a ese nivel por algún tiempo.

Progreso y asentamiento
Para llevar a cabo una comunicación progresivamente satisfactoria en la relación, debe darse de manera descriptiva, abierta y provisional, en un clima de igualdad.

Hablar de manera descriptiva
Consiste en manifestar lo que se observa o escucha con un lenguaje objetivo.

Hablar de manera abierta

Es compartir reflexiones y sentimientos verdaderos sin recurrir a la manipulación.

Hablar de manera provisional

Sugiere que las ideas que se expresan permiten creer que son correctas aunque pueden no serlo.

Hablar en un clima de igualdad

Permite que las relaciones crezcan. Además de escoger de manera cuidadosa el lenguaje, para mantener un ámbito de comunicación favorable, conviene observar si lo que se dice muestra una actitud evaluativa, de desvarío, certeza o superioridad.

Desintegración

Los efectos de una ruptura conflictiva pueden mejorarse mediante el esfuerzo consciente y el uso de habilidades de comunicación adecuadas. Desafortunadamente, cuando se decide terminar una relación suelen utilizarse estrategias. Aun cuando las relaciones se hayan roto, habría que intentar utilizar habilidades constructivas para describir los sentimientos, hacerlos propios y mostrarlos. De esta forma se puede conseguir llevar a cabo la separación de la manera más amable posible.

Capítulo 4

VENTAJAS Y BLOQUEOS EN LA COMUNICACIÓN

Hemos estado viendo hasta ahora una serie de elementos constitutivos del hecho y los procesos de la comunicación. Pero conviene también que nos detengamos a sopesar éstos desde el punto de vista de las ventajas o inconvenientes que nos producen. Y para que nos sea más fácil abordar los inconvenientes, los veremos como «bloqueos» del proceso de la comunicación.

Inconvenientes

Hagámonos conscientes en primer lugar de un listado de inconvenientes que nos puede ocasionar gestionar mal la palabra:

- propuestas que generan temor o dudas
- bloqueo de la creatividad
- indecisión
- tendencia a la distracción
- falta de espontaneidad
- pérdida en operaciones de venta
- limitación para motivar o motivarse
- consignas y objetivos confusos
- liderazgo sin entusiasmo
- ausencia de espíritu de equipo.

Escuchar es un elemento fundamental para el desarrollo de la comunicación. Para ello, es preciso *estar* voluntaria y conscientemente presente en la conversación.

Características de quien no sabe escuchar:

- Interrumpe constantemente, impidiendo que la otra persona termine la idea. Es como tapar su boca para que no hable y genera una sensación de desagrado.
- Cambia el sentido de la conversación.
- Falta de contacto visual. Cuando no se mira a los ojos, se da a entender que no interesa la conversación.
- Saca conclusiones precipitadas. Puede generar la sensación de robar las ideas y apropiarse del mérito ajeno.
- No responde a lo que escucha y parece hablar solo.
- Falta de empatía.
- Impaciencia. Estar pendiente del reloj, por ejemplo, mientras la posición corporal muestra que se quiere ir.

El impacto de la palabra

Cada uno de nosotros siembra semillas de comunicación que van germinando y floreciendo en las relaciones. De las buenas relaciones brotan frutos de conciliación, alianzas, paz y armonía que trasforman la humanidad. ¿Qué semillas siembras o deseas sembrar?

Para comprobar nuestros posibles bloqueos o dificultades y mejorar nuestra comunicación, conviene practicar ciertos ejercicios. Al hacerlo iremos generando, como consecuencia, las ventajas y habilidades que desarrollaremos después.

Pronunciación y entonación

- Observar e imitar la pronunciación de personas expertas.
- Ejercicios de trabalenguas.

- Cantar observando la letra de las canciones.
- Leer en voz alta.
- Escuchar grabaciones de poesía, cuentos o narraciones profesionales.

Recitar

- Reproducir de memoria y con la mejor dicción posible un texto literario.

Desarrollo verbal

- Formar una frase a partir de una o varias palabras dadas.
- Formar 3 frases a partir de una misma palabra.
- Formar grupos de 10 o 20 frases, partiendo de la primera y la última, con un sentido coherente.

Expresión verbal

- Trasmitir a otras personas una noticia real o imaginaria.
- Trasmitir un mismo mensaje con diferentes entonaciones.
- Contar un cuento o una historia.
- Describir con detalle y orden los objetos de una sala, lo que se ve en una calle o plaza.
- Decir algo a otra persona cuidando la pronunciación clara y el menor número de palabras, sin ocultar información.

Conversación

- Practicar el intercambio libre de ideas, concediendo tiempo para exponer y escuchar.
- Seguir de forma activa una conversación dirigida por otra persona.

- Proponer un tema y conversar sin salirse de él. Partir de la vida cotidiana, noticias de actualidad u otro tema de interés personal íntimo.

Ampliar el vocabulario

- Buscar y agrupar palabras en torno a una idea o contenido ideológico que sirve de línea-eje: literatura, el campo, la ciudad, medios de comunicación…
- Ejercicios de búsqueda de antónimos y sinónimos. (Conviene utilizar el diccionario de sinónimos-antónimos).
- Hablar de un tema donde se repite muchas veces el mismo concepto pero sin repetir las palabras.
- Generar relaciones entre palabras que se presentan en dos o más columnas formadas al azar.

SEGUNDA PARTE

LA COMUNICACIÓN VERBAL

OBJETIVOS

✓ Entender qué es el lenguaje asertivo.

✓ Establecer las pautas de diferentes estilos de comunicación para identificar el propio de cada persona.

✓ Reconocer los elementos integradores de un discurso y aplicarlos.

✓ Integrar habilidades para desarrollar el contenido del discurso y persuadir.

Capítulo I

EL LENGUAJE ASERTIVO

La manera que tenemos de utilizar el lenguaje interno, nuestra forma de pensar a través de este tipo de lenguaje, es lo que estructura y determina la comprensión que todos nosotros tenemos del mundo. Nuestros pensamientos, quedan determinados por los matices de nuestras estructuras lingüísticas en relación con su riqueza, variedad y calidad. Por otra parte, cuando expresamos a través de las palabras tales pensamientos y estructuras lingüísticas, nos retroalimentamos y fijamos nuestros valores, conductas y sentimientos con respecto a la realidad.

Nos estamos moviendo en el ámbito de la comunicación verbal. Dentro de ella, hay un elemento referencial muy importante; un punto clave: la asertividad. Resulta de vital importancia comprender este concepto y estar en condiciones de aplicar sus habilidades consecuentes a nuestra comunicación, si deseamos mejorar en su eficacia. No todas las personas lo conocen bien, aunque hayan escuchado hablar sobre él. El término «asertividad» viene del latín *assertor,* que es la persona que afirma o defiende algo libremente. Aprender a desarrollar una comunicación asertiva es imprescindible para no quedarnos en la estacada. La asertividad consiste en hacernos valer y respetar, decir lo que pensamos y opinamos sin temor a represalias, aunque siempre con elegancia y desde una posición de respeto.

Concepto de asertividad

Podemos entender que la asertividad consiste en trasmitir un mensaje a través de fórmulas afirmativas eficaces. Para ello, para lograrlo con éxito, hay una serie de pautas que deben tenerse en cuenta.

Pautas para reforzar la asertividad

Afirmaciones breves

Para dar fuerza y claridad a nuestro mensaje, debemos usar *afirmaciones breves*.

En este sentido, conviene que nos vayamos dando cuenta, en primer lugar, de las ocasiones en que utilizamos negaciones directas o a través de los juicios de valor, en nuestras conversaciones.

Por ejemplo: «No quisiera decirte lo que te estoy diciendo y por ello no negaré que tengo algunas dudas en el procedimiento».

Esta frase es la antítesis de una *afirmación breve* y resulta evidente en ella la dificultad de comprensión y la pérdida de eficacia en cuanto a los resultados de su comunicación. Para convertirlo en un mensaje asertivo, podríamos expresarlo de la siguiente forma: «Es duro lo que tengo que decirte y me resulta difícil hacerlo». Incluso podemos aumentar la potencia de la asertividad con esta otra expresión: «Quiero decirte algo; ayúdame».

Es muy difícil superar los hábitos adquiridos a la hora de expresarnos, por ello resulta conveniente practicar con paciencia y con mensajes cortos. Mensajes cortos y afirmativos. Podemos entrenarnos construyéndolos paso a paso, con sencillez y mucha paciencia. Te propongo que, como acabo de hacer, escribas algunas frases cargadas de negaciones, con muchas frases subordinadas, para ir convirtiéndolas en afirmaciones y frases simples.

Te propongo otro ejemplo que pueda servirte de orientación:

«No merece la pena perder el tiempo con todos esos pensamientos que no quieres repetirte, aunque no puedas evitarlo, sin detenerte una sola vez a pensar que no los necesitas para no dejarte llevar por el malestar, la culpa y la tristeza».

La frase anterior tiene un sentido como consejo importante. Realmente expresa algo recomendable. Pero ¿tiene suficiente fuerza? ¿Entendemos su mensaje con claridad? Tratemos de reconvertirla con afirmaciones y comparemos: «Merece la pena ganar tiempo evitando algunos pensamientos; piensa en los que más te convienen para sentir bienestar, seguridad y alegría».

La idea de fondo es la misma. ¿Notas la diferencia entre una expresión y otra? ¿Con cuál te sientes mejor?

Ahora potenciemos su asertividad manteniendo las afirmaciones y acortando las frases: «Gana tiempo con pensamientos eficaces. Siente bienestar, seguridad y alegría».

¿Qué tal ahora? ¿Entiendes mejor en qué consiste la asertividad? Entonces, practica. Utiliza expresiones reales de tu vida. Frases que digas. Frases que escuches en tu entorno. Y procura mejorarlas siguiendo el ejemplo anterior. De esta forma conseguirás poner fuerza y coherencia en el mensaje. Te sentirás mejor. Aumentará tu seguridad. Se aclararán tus ideas. Mejorarás en eficacia.

Usamos negaciones para generar reacciones. Pero estas reacciones generan siempre oposición y lucha. Queriendo despejar nuestro camino de obstáculos, multiplicamos su presencia. La buena intención de eliminar lo que estorba se vuelve contra nosotros haciéndonos perder demasiado tiempo. Las afirmaciones constructivas, enfocadas al objetivo a conseguir, multiplican la velocidad del resultado, nuestra sensación de eficacia, confianza y seguridad. Prueba y te convencerás. Cuanto más practiques, antes alcanzarás tu objetivo y te sentirás mejor. ¿Has comenzado ya? ¿Deseas tener las riendas de tu vida? ¿De tu pensamiento?

Reacciones ante la negación

Desde un punto de vista imaginativo, podemos comprobar fácilmente el valor de los mensajes afirmativos y de los negativos. Si te dijera: «Imagínate un elefante blanco». Tal vez, dependiendo de tu capacidad de concentración e imaginación, pueda parecerte más o menos difícil. Pero si te digo: «No te imagines un elefante rosa». ¿Qué ocurre entonces? ¿Puedes evitarlo? ¿Consigues realmente negar la imagen, aunque nunca hayas visto un elefante rosa? Ahora podrás llegar a tus propias conclusiones.

Estas sencillas paradojas suelen pasarnos desapercibidas en nuestra vida cotidiana, pero tienen una gran importancia práctica. Es muy posible que en tu día a día no te relaciones con elefantes blancos o rosas. Aunque es muy habitual que este mismo ejemplo nos aparezca al considerar una cita importante. Lo normal en este caso será apuntar la hora de la cita con algún tipo de recordatorio o alarma «para no llegar tarde», ¿no es así? Pero cuando pensamos o decimos «No quiero llegar tarde», ¿en qué estamos pensando realmente? ¿Qué nos imaginamos? ¿Cuál es la diferencia entre pensar «No quiero llegar tarde» y «Voy a llegar puntual»?

Consideremos otra circunstancia: fumar o no fumar. Si tienes el hábito de fumar y debido a la ley antitabaco o al deseo de mejorar tu salud quisieras dejarlo ¿qué harías? Puedes repetirte constantemente: «No quiero fumar». «Ya no deseo fumar porque…». ¿Conseguirías con ello alcanzar tu objetivo? ¿O sentirías que tu deseo crece cada vez más?

Otra paradoja. Si tienes miedo a tropezar porque te duele un dedo del pie, ¿en qué piensas? ¿Qué sueles decirte internamente? ¿Practicas la asertividad? ¿O te repites constantemente «No voy a tropezar», dándote cuenta simultáneamente de que los obstáculos en tu camino se multiplican por mil?

Las negaciones de lo que deseamos evitar generan reacciones paradójicas, especialmente si aquello que tratamos de eliminar se relaciona con los sentidos, es decir, si puede verse, oírse, olerse, tocarse o saborearse. Esto es la antítesis de la asertividad.

Practica las afirmaciones breves. Repite en tu interior o a los demás aquello que deseas conseguir, en lugar de lo que pretendes evitar. Si lo haces, disfrutarás de una vida más fácil y feliz.

Cuando hayamos practicado lo suficiente en este sentido, podremos aprender también a lanzar mensajes asertivos desde la negación y desde la duda. Ésta será una etapa más avanzada. Queda mucho camino por recorrer para dominar el arte de la comunicación eficaz. Y el camino sólo se recorre dando un paso detrás de otro, comenzando por el lugar en el que ahora te encuentras. ¿En qué punto del desarrollo de tus habilidades te encuentras? ¿Lo sabes? Practica y comprueba.

Ejercicios

Retoma tu cuaderno, con las prácticas realizadas en la primera parte. Examina cada uno de los ejercicios desde la perspectiva que acabamos de ver. Aprovecha tu tiempo. Practica en todos los instantes, con cualquier excusa, aunque sólo sea durante un minuto o quince segundos. Ve sumando pequeños tiempos de práctica a tus ejercicios y te garantizo que finalmente lograrás un asombroso desarrollo de tus habilidades asertivas.

Revisión de ideas

Por lo que llevamos visto, podemos entender la asertividad como la capacidad de emitir mensajes de comunicación con afirmaciones convincentes. Su propósito es trasmitir ideas con eficacia y conseguir por su mediación el logro de un objetivo. Este objetivo debe ser el propio de la comunicación ejercida y ha de estar previsto o seleccionado por nosotros. Nosotros mismos tenemos que partir de la claridad de lo que queremos trasmitir.

En este sentido, nos ha quedado claro que la complejidad genera confusión. Pero la mayor parte de nuestros mensajes, aunque practiquemos para hacerlos sencillos, son complejos. ¿Qué podemos hacer entonces? Necesitamos seguir avanzando con rapidez. La solución se encuentra en trasmitir la información poco a poco. Dando tiempo, enmarcando entre entonaciones diferentes y silencios cada uno de los elementos simples que integran el mensaje complejo. Si has hecho los ejercicios que te indiqué antes, ahora te será sencillo componer los mensajes complejos de forma asertiva. Si tienes dudas, repite los ejercicios anteriores para lograr mayor soltura y habilidad.

Afirmaciones precisas

Para conseguir aquellas afirmaciones precisas, que son la base de la asertividad, se necesita claridad interna. Esta claridad proviene, por una parte, de la confianza que tengamos en nosotros mismos, unida al permiso que nos otorgamos para trasmitir la idea o ideas correspondientes, así como el derecho a la satisfacción o reconocimiento implícito en la propuesta que hacemos.

Una expresión clara y precisa consiste en trasmitir lo que se siente, piensa, cree o necesita, generando actitudes de confianza y abriendo posibilidades de diálogo y amistad en los demás. Para ello, como acabamos de ver, necesitamos tener confianza en nosotros mismos, en lo que sentimos, pensamos, creemos o necesitamos. Parémonos en este punto para revisarlo con tranquilidad y detalle. ¿Cómo podemos estar seguros de que tenemos confianza en lo que sentimos a la hora de expresarnos verbalmente? El síntoma que debemos buscar es la sonrisa serena. Si contamos con ella, de verdad, contaremos con la evidencia de que hay coherencia entre nuestros sentimientos profundos y nuestra disposición a la hora de trasmitir el mensaje. Pero si detectamos síntomas de preocupación, temor o inquietud, de forma definida o indefinida, es el momento de parar y buscar elementos de apoyo que nos ayuden a reforzar la confianza. Si no lo hacemos, los cimientos de la comunicación asertiva pueden fallar en el momento menos oportuno. Una vez lograda la sonrisa serena, como síntoma de confianza en lo que sentimos, podemos pasar a considerar lo que pensamos.

La confianza en el pensamiento se refleja en relación directa con la capacidad de concretar nuestros objetivos para la comunicación. Hagamos la prueba. Escribamos en un papel, con tres o cuatro palabras para cada uno, los tres objetivos principales o, mejor aún, el objetivo único de nuestra comunicación. Si al hacerlo nos surgen dudas, tomemos el tiempo que sea necesario hasta que lo logremos, para que desaparezcan por completo las dudas o vacilaciones. Especialmente al principio esto es importante. Si creemos que lo sabemos sin ser capaces de escribirlo en un papel de forma breve, nuestra asertividad perderá puntos de inmediato en la tabla de cotización de valores y abrirá la sesión con tendencia a la baja en el competitivo mercado de la comunicación eficaz.

Confiar en nuestras creencias, aunque debiera ser más sencillo, resulta en realidad más difícil por lo engañoso del tema. Lo peculiar de este punto es que son las personas fanáticas las que más confianza muestran y demuestran, hasta el punto de llegar a dar la vida por «sus creencias». Paradójicamente, tales creencias no son suyas; son ajenas. En eso consiste precisamente la acepción de «fanático»: estar aferrado a un *fanos* o elemento de poder que garantiza sus creencias de forma ajena a la propia persona. Por ello mismo, los fanáticos tienden a ser, o más bien a parecer, personas muy asertivas, con una gran seguridad en lo que dicen. Pero al mismo tiempo muestran absoluta rigidez e imposibilidad de diálogo en sus propuestas, mensajes o exposiciones. En este punto es en el que la asertividad se convierte en imposición agresiva y por ello mismo el fanatismo se vincula siempre con la violencia, verbal o física. Para el logro de confiar en nuestras creencias sin caer en el fanatismo y, consecuentemente, sin despertar animadversión, confrontación, agresión, imposición dogmática o violencia en nuestra comunicación, necesitamos haber depurado previamente nuestros prejuicios y creencias adquiridas, para reconfigurarlas como estructuras propias de valor; como nuestro propio esqueleto moral. Esto supone mucho tiempo y una buena dirección metodológica; mucho trabajo personal. Lo normal será que nuestra actitud al respecto sea de respeto hacia nuestra propia incertidumbre y la de los demás, evitando en este sentido los juicios de valor ajenos y las condenas de opiniones diferentes. Nuestro aliado y síntoma asertivo en este punto es la flexibilidad, el respeto propio y ajeno, que acepta diferentes posiciones, criterios y decisiones, sin que necesariamente nadie tenga que convencer y mucho menos manipular a nadie.

Finalmente encontramos la confianza en las necesidades propias. Otro punto aparentemente sencillo y sutilmente engañoso. En este punto solemos topar de frente con nuestros complejos de culpa heredados, adquiridos, entre acciones y reacciones de autoafirmación egocéntrica. El dato fiable que nos ayudará como síntoma es la humildad a la hora de reconocer nuestras carencias, limitaciones y posibilidades o disposición a la autosuperación continua, serena y cariñosa de la verdadera autoestima. Su gesto de evidencia objetiva, al pensar en tales necesidades propias o ajenas, será la sonrisa serena, de aceptación silenciosa y paciente.

La comunicación asertiva se basa, por tanto, en trasmitir de forma clara, concisa, rápida y contundente lo que queremos.

Manejar un mismo lenguaje y contexto psicosocial

Las propuestas anteriores son válidas en la preparación del mensaje asertivo, en forma integral, por parte de quien emite el mensaje. A la hora de trasmitirlo tendremos que asegurarnos de que estamos utilizando el mismo lenguaje y contexto psicosocial, para aproximarnos al máximo a una recepción o interpretación adecuada de él.

Podemos llegar a creer, a este respecto, que con hablar la misma lengua (español, francés, portugués, inglés o chino) sea suficiente. Pero no es así. Es cierto que ése debe ser el punto de partida. No obstante, nuestra capacidad asertiva depende también de la proximidad que logremos al contexto de lenguaje específico (lenguaje coloquial, científico, artístico o de negocios, por ejemplo), así como el psicosocial, en el que influirá la raza, la cultura, el país o entorno de vida habitual y el estado emocional o psicológico por el que cada persona atraviese. Para el desarrollo adecuado de esta habilidad conviene prepararse en los diferentes aspectos de la inteligencia emocional y muy especialmente en las habilidades empáticas.

Recomendaciones

Ser directos: Comunicar sentimientos, creencias y necesidades de forma clara y concisa.

Ser honestos: Expresar verdaderamente los sentimientos, opiniones o preferencias con naturalidad, seleccionando al mismo tiempo lo que es importante en cada ocasión.

Mensaje y momento apropiado: Tener en cuenta el lugar, el momento, la firmeza y autoestima, el ritmo, así como la frecuencia de repetición de la idea.

Afirmaciones, negaciones y solicitudes asertivas

Para seguir avanzando en nuestras estrategias de desarrollo de habilidades en la comunicación asertiva, podemos plantearnos ahora «¿Cómo pedimos las cosas?». Y lo haremos, en primer lugar, a través de unos sencillos ejemplos, que deberemos convertir en ejercicios, con diferentes niveles de dificultad. Antes de comenzar, conviene insistir en que ser asertivo se basa en tomar lo que nos corresponde.

Ejemplo

Imaginémonos que entramos en un bar y pedimos un refresco de cola, pero el camarero nos trae uno de naranja. Si dejándonos llevar por la timidez o la vergüenza decimos que «no pasa nada» y consumimos lo que nos han servido, para no molestar al camarero, estaremos reflejando una carencia total de asertividad. Por otra parte, pudiera darse el extremo contrario. Supongamos que esa misma persona, en lugar de solicitar educadamente que el camarero corrija su error, comience a gritar con enfado y agresividad, humillando al empleado a la vez que descalifica el local y al dueño. Esta actitud desproporcionada tampoco sería en absoluto asertiva. Ser asertivo no es ser maleducado. La asertividad ha de mostrarse también en la elegancia y el respeto hacia los demás.

Situémonos en otro caso, dentro de la misma escena. Llega el camarero y pregunta qué deseamos tomar. Entonces adoptamos un papel condescendiente, supuestamente reflexivo, y decimos: «Pues verás; no lo tengo del todo decidido. Pero tal vez me convendría, por una parte, algo ligero y sin alcohol… No sé si me entiendes. Lo que yo quiero exactamente y espero que me lo puedas traer, es algo que se beba mucho, que esté de moda, como un refresco de cola. ¿Me entiendes?».

¿Qué sensación te produce imaginarte esta escena? Piénsalo y saca tus propias conclusiones.

Ahora veamos otra posibilidad. Llega el camarero, Sonríes y dices: «Quiero un refresco de cola». Esta afirmación es asertiva. Cumple con los requisitos que vimos antes. En el caso de que se tratara de un mensaje más complejo, se podría añadir una breve explicación afirmativa y contundente para reforzar el argumento de qué es lo que queremos.

Otra opción

Supongamos ahora que se trata de un estudiante. Quiere explicar al profesor por qué debería permitirle presentar el trabajo más tarde que el resto de los alumnos. Para ello, deberá hacer gala de buena comunicación asertiva. Su profesor debe entender con claridad el mensaje y conceder ese derecho.

Veamos una opción: «Hola, profesor, verá usted…, no sé si podré presentar el trabajo… Tengo muchas cosas que hacer y no me dará mucho tiempo. La verdad es que me gustaría cumplir con el compromiso, pero no puedo. Puedo intentarlo, quizás… Pero va a ser realmente difícil… Lo cierto es que he pensado que, tal vez, podría hacerme un favor, si no le molesta demasiado. A mí, desde luego, me parecería todo un detalle por su parte y le estaría eternamente agradecido… Quisiera que considerara la posibilidad de hacerme un gran favor. Yo le pediría, si me lo permite, entregar el trabajo un poco más tarde».

¿Crees que se trata de un mensaje asertivo?

Veamos otra opción para el mismo caso: «Hola, profesor. Me resulta imposible entregar el trabajo a tiempo. Tengo dos trabajos de Historia, uno de Física y otro de Ciencias Sociales. Además, tengo que ir mañana al médico. Se encuentra a doscientos kilómetros. Es para un tratamiento nuevo. Me dejará en malas condiciones durante tres días y entonces tendrán que repetirlo. Le pido un respiro para entregarle un excelente trabajo. Es una circunstancia excepcional».

¿Qué te sugiere esta otra propuesta?

Que el mensaje sea asertivo, que cumpla todos los requisitos que hemos visto, no garantiza el éxito en todos los casos. Pero aumenta ostensiblemente su probabilidad.

Consideremos otro ejemplo

Una persona va a pedir un aumento de sueldo a su jefe. Imaginemos que dice: «Hola, esto…, verá…, quería hacerle una sugerencia. Claro que si no quiere no tiene por qué tenerla en cuenta. De todas formas quiero que lo considere, cuando tenga tiempo. Verá…, trabajo muchas horas, de lunes a viernes, y el dinero que me dan aquí no me llega. Consideré trabajar en otro sitio para complementarlo, pero llego tan cansado... Por eso me gustaría saber si cabe la posibilidad de que me suban el sueldo, al menos un cinco o un diez por ciento».

¿Crees que se trata de un mensaje asertivo?

Imaginemos ahora que, en el mismo supuesto, dice: «Muy buenos días, Sergio (el nombre del jefe). Llevo meses trabajando muy duro. Tú lo sabes. Los resultados, según lo que tú mismo me dijiste, son muy buenos. Me estoy esforzando mucho, cada día. Sé que estamos en plena crisis. Por ello, un trabajo como el mío hace mucha falta en esta empresa. Me encanta venir cada día a trabajar, para sacar lo mejor de mí mismo. Pero el sueldo que cobro es bajo. Debería ser proporcional con el trabajo que hago. Trabajo de la mañana a la tarde, prácticamente sin parar. Los resultados son buenos, ¿no es así? Pero tengo problemas económicos y eso puede dañar mi rendimiento. Quiero una subida de sueldo de un diez por ciento, para poder seguir trabajando con la máxima eficacia. Así no tendré que preocuparme por si el dinero me llega o no».

¿Qué te sugiere esta otra propuesta?

Para que esta comunicación asertiva llegue a buen puerto, ha de mostrarse el papel que se juega en la empresa y cuánto se valora. Pedir dinero sin justificar que se merece no dará resultado.

Por otra parte, si llegara a decir: «O me subes el sueldo o me voy», esto no es asertividad. Es un chantaje directo.

A modo de recordatorio

En los mensajes asertivos debemos tener en cuenta:

- Adecuación entre lo que pedimos y el proceso.
- Pedir o solicitar con seguridad.
- Evitar la frustración.
- Argumentar por etapas.
- Evitar las dudas.
- Mostrar educación y respeto.
- Diferenciar entre asertividad y agresividad.
- Expresarse con naturalidad y coherencia.

Capítulo 2

ESTILOS DE COMUNICACIÓN

En la primera parte estuvimos sondeando tendencias en relación con cuatro estilos de comunicación:

1. Estilo funcional: Prioriza los intereses de las personas y de las relaciones.
2. Estilo normativo: Prioriza el orden, la acción y las reglas.
3. Estilo analítico: Prioriza las ideas y las teorías.
4. Estilo intuitivo: Prioriza los procesos y la visión global.

A estas alturas, por lo tanto, ya debes tener una orientación de cómo es tu propio estilo. Ahora bien, desde esas cuatro orientaciones básicas, vamos a dar un paso más para matizar y desarrollar tus posibilidades y tendencias naturales.

Los estilos de la comunicación pueden diseñarse en función de:

1. Los destinatarios.
2. El contenido o mensaje.
3. El lugar o medio de la comunicación.
4. El tiempo.

Un discurso o charla apropiada

Si nos planteamos hablar en público, en una conferencia o charla, más o menos formal, será importante considerar nuestro discurso y estilo en función del público a quien vaya dirigido. Pero si nuestra comunicación es personal, también será importante considerar con quién hablamos, especialmente si aquello que queremos comunicar es importante. En uno y otro caso, nos será de mucha ayuda tener en cuenta:

- El nivel de conocimiento, propio y ajeno, sobre el tema a tratar.
- Los temas que pueden interesar.
- El nivel de conocimiento o no de los términos técnicos que usemos, tanto en nosotros como en las personas que nos escuchen.
- Usar un lenguaje adecuado.

El motivo de la comunicación

El estilo a desarrollar en una comunicación concreta, ya sea personal o para un colectivo, dependerá de diversos factores relacionados con nuestro motivo u objetivo:

- Informar.
- Motivar.
- Entretener.
- Comercializar.
- Convencer.

Un estilo adecuado para cada público o persona

Además de lo visto anteriormente, podemos generar diferentes estilos o formas de trasmitir nuestro mensaje o llevar a cabo el proceso de la comunicación. Entre ellas identificaremos roles o modos de lo que en diferentes ocasiones hemos hecho al relacionarnos con diferentes personas y según nuestro estado de ánimo, así como también nuestras tendencias naturales. Hagamos un listado por contrastes de algunos estilos:

- Serio o desenfadado.
- Sobrio o entusiasta.
- Cercano o distante.
- Analítico o generalista.
- Con apoyo visual o sin él.
- Monólogo o diálogo.

Como síntesis personal

Te sugiero ahora que, en relación con lo que acabamos de mencionar, determines tus rasgos de estilo más naturales, en relación con cuatro perfiles básicos: el personal íntimo, el familiar, el social y el laboral. Repasa en tu memoria cada uno de estos ámbitos de comunicación y escribe un listado de características, en cada uno de ellos, referente a tu estilo de comunicación.

Por ejemplo, en lo personal íntimo, puedes haber descubierto que tienes un estilo:

- Funcional.
- Desarrollado en función de la persona destinataria, sin prestar mucha atención al contenido, el lugar o el momento.
- Centrado en los temas que interesan a esa persona, con un lenguaje más atrevido, excitante y sensual.
- Tienes entonces como propósito motivar y convencer.
- Es desenfadado, entusiasta, cercano, analítico, con el apoyo visual centrado en esa persona y tendencia al monólogo.

Si esto es lo que has descubierto, considera ahora las reacciones que se producen en esos casos, la retroalimentación. Ésta puede ser satisfactoria, de queja, irritante o de otro tipo. Si es así, valora si merece la pena continuar con esos elementos de estilo o puedes probar a hacer pequeños cambios en ellos, hasta que descubras tu propio estilo personal eficaz. Date tiempo para hacer diferentes pruebas de este estilo en los diferentes perfiles básicos. Cuando encuentres satisfacción en los resultados en cada uno de ellos, continuaremos ampliando las característisticas y matices en los elementos del discurso y los reconsideraremos de nuevo desde una perspectiva más completa. Por ello, para seguir avanzando y controlar todos los aspectos complejos de la comunicación, es importante que te detengas aquí, hasta aclarar, asentar y dominar lo que hemos visto hasta ahora. Cuando lo consigas, podrás continuar con el siguiente capítulo. Si lo hicieras antes, correrías el riesgo de perder eficacia en el desarrollo de tus habilidades, con lo que el curso se quedaría en una mera consideración curiosa pero demasiado complicada para llevarla a la práctica. Recuerda el lema de Julio César, el célebre emperador romano: «Divide y vencerás». Camina paso a paso con tranquilidad, asegurándote de que cada uno de ellos se encuentra bien asentado.

Capítulo 3

EL DISCURSO

Repasaremos ahora una serie de elementos que hemos estado tratando para profundizar un poco más en el discurso o contenido de la comunicación.

Los elementos del discurso

En la primera parte vimos una serie de elementos que forman parte del discurso o proceso de la comunicación. Vamos a repasarlos ahora para seguir avanzando con nuevos matices que nos permitan aportar mayor profundidad y precisión.

Veíamos, por una parte, que había un «contexto». Éste lo definíamos como el medio en el que ocurre la comunicación, es decir, lo anterior y lo posterior a lo que se dijo. Y dentro de ese contexto encontrábamos diferentes tipos:

- *Físico:* Factores físicos que determinan dónde se produce la comunicación. El lugar, la hora o la distancia de los comunicantes.
- *Social:* Naturaleza de las relaciones que existen entre los participantes. Hay diferentes formas de interactuar, esto depende de la relación que tengamos con la otra persona (familiar, amistad, trabajo…).
- *Histórico:* Son los antecedentes producidos antes de la comunicación que hacen que haya un entendimiento en la comunicación actual.

- *Psicológico:* Hablamos del humor y sentimiento que cada persona aporta a la comunicación.
- *Cultural:* Las creencias, valores, normas que se comparten entre un gran grupo de personas.

También nos encontrábamos con los «canales», es decir, los medios sensoriales por los que se trasmite la comunicación, y llegamos a la conclusión de que cuantos más usemos, más probabilidades tendremos de lograr una comunicación eficaz.

Otro de los puntos que habíamos considerado era el «ruido». Incluso diferenciábamos en él varios tipos:

El ruido *externo* son los sonidos, miradas y otros estímulos que distraen la atención de los participantes.

El ruido *interno* son los pensamientos y sentimientos internos que interfieren con la comunicación.

El ruido *semántico* es el que consiste en los significados no intencionados que se generan por ciertos símbolos que inhiben la precisión a la hora de descifrar el mensaje.

Seguíamos después considerando la respuesta al mensaje bajo el concepto de «retroalimentación». Ésta indica a la persona que lo emite si su mensaje se escuchó, se entendió y cómo se hizo. Concluíamos, en este caso, que resultaba conveniente estimular tanta retroalimentación como lo permita la situación.

La comunicación tiene siempre un propósito, consciente o no. El propósito de la comunicación puede ser trivial o serio, pero lo importante es saber si se ha logrado alcanzar el objetivo marcado. Aunque no siempre quienes emiten los mensajes son conscientes de sus objetivos.

Debido a que la comunicación parece ser un comportamiento natural, innato, rara vez intentamos mejorar nuestras habilidades por muy inadecuadas que éstas puedan ser, pero la comunicación se aprende y por lo tanto podemos mejorarla.

El siguiente punto que habíamos tenido en cuenta, en relación con esas posibilidades de aprendizaje y mejora de la comunicación, era el «ambiente». Nos dimos cuenta de que podemos interactuar con una persona o con un grupo pequeño e informal. En cualquier caso, la comunicación se enfoca en escuchar y responder enfáticamente, compartir información personal, sostener conversaciones eficaces y en desarrollar, mantener y mejorar las relaciones.

Nos plantearemos ahora, desde otra perspectiva, los elementos estructurales de la comunicación, para poder prepararla con detalle y precisión, descubriendo y enriqueciendo, al mismo tiempo, nuestro propio estilo personal, en el que se habrán ido volcando o estableciendo las diferentes características consideradas hasta ahora.

Generación de la estructura

Resulta de vital importancia articular los diferentes elementos del discurso que acabamos de recordar para construir con ellos la estructura, el esqueleto o armazón de aquello que pretendemos decir. Para ir progresando en tal tarea, hay una serie de preguntas y referencias que, a modo de pilares del edificio en construcción, nos servirán de guía práctica y consistente.

¿Quién habla?

Parece claro que la respuesta correcta es «yo». El tema es plantearse con detalle quién es ese «yo» que habla. Veamos. Cuando consideramos los estilos de comunicación, en el capítulo precedente, lancé la propuesta de que te ejercitaras describiendo tu estilo o características de la comunicación en relación con cuatro perfiles básicos: el personal íntimo, el familiar, el social y el laboral. Espero que hayas hecho correctamente el ejercicio. Si es así, habrás comprobado que cada uno de esos «perfiles» tiene una estructura de rol diferente, es decir, es como si fuera un «yo» diferente, aunque mantengamos sanamente el patrón de nuestra identidad personal. Todos los seres humanos tendemos a comunicarnos y comportarnos con pequeñas o grandes diferencias en nuestras relaciones íntimas, familiares, sociales y laborales. Incluso, dentro de ellas, también se establecen diferencias en función de la persona y las circunstancias concretas. A esto me refiero cuando te sugiero que pienses en quién se comunica. Tendemos a encarnar personajes (como ocurre en el teatro), de manera natural e inconsciente. Estos personajes o estructuras de rol generan pautas, estilos y estrategias de comunicación diferentes. En la medida en que nos damos cuenta, las analizamos y detallamos, como hicimos en los ejercicios propuestos, podemos entrenar y mejorar con precisión nuestras habilidades y estilos de comunicación. Piénsalo e imagina, de la forma más divertida posible, incluso cuando el rol o el «yo» que quieras mostrar como sujeto de tu comunicación sea muy serio. Imagínate que estás dirigiendo una obra de teatro sobre esa escena concreta de tu vida en la que vas a prepararte para comunicar un mensaje importante. Piensa que tú estás en el escenario y que puedes verte desde el patio de butacas del teatro para ensayar, probar, jugar, interpretar y expresar la mejor forma de comunicación que desees. Prueba a cambiar los personajes de la escena, hasta que descubras el más adecuado para los objetivos del mensaje que te propongas trasmitir.

¿A quién?

Siguiendo con el juego de la representación teatral, imagínate ahora que estás en el escenario y miras con serenidad y confianza a la persona o personas a las que vas a dirigirte. ¿Cómo te gustaría hacerlo? ¿Qué características tiene o tienen? ¿Consigues despertar su interés? Deja que tu fantasía te muestre la forma de conseguirlo, ensayando diferentes alternativas. Prueba a pensar que en el patio de butacas está tu pareja, tus amigos de la infancia, tu familia, tus compañeros de trabajo, tus clientes… E imagina que les hablas desde tres o cuatro personajes diferentes, hasta que sientas que has encontrado la estrategia que mejor funciona ante esa o esas personas en concreto. Hazlo con sinceridad siempre. Cambiar el personaje o la estructura de rol no es fingir ni engañar; es utilizar un estilo de comunicación específico y eficaz. Ejercítate analizando las diferentes características que veíamos antes, a la vez que te imaginas «poniéndolas en escena» como si de una obra de teatro se tratara. Esto no quiere decir tampoco que necesites aprenderte un guión para representarlo «al pie de la letra». Repitiendo los ejercicios se irán desarrollando, poco a poco, tus habilidades naturales. Así comprobarás que te resulta cada vez más sencillo improvisar y expresarte con naturalidad en los diferentes ambientes. Pero recuerda siempre que no hay éxito sin trabajo. No es fácil, pero sí es posible. Al ejercitarte de forma divertida, al fantasear como si se tratara de un juego, mejorarás los resultados con rapidez.

¿Por qué?

El porqué de la comunicación y el mensaje es diferente del objetivo u objetivos de ésta. Se relaciona con su importancia o valor. Conviene pensar en por qué queremos, debemos o nos proponemos decir o comunicar aquello que pretendemos. Incluso, por qué hacerlo de la forma y circunstancias en que lo hemos imaginado o planificado. En ese momento pudieran surgir dudas o contradicciones que es imprescindible que resolvamos antes de seguir adelante. De esta forma conseguiremos aumentar nuestra sensación de seguridad y por lo tanto la asertividad a la hora de expresarnos.

¿Cómo?

Seguidamente será importante revisar y concretar el cómo de nuestra comunicación. También aquí podemos retomar el ejercicio de la representación teatral imaginaria y precisar aún más lo que anteriormente hemos visto en relación con el rol o personaje. Un mismo personaje, como en el teatro, puede interpretar su papel de diferentes formas: caminando, detenido y mirando al público, sentado, tumbado, vestido, desnudo… De la misma forma, nosotros debemos buscar en nuestra fantasía la forma más adecuada, con la que sintamos mayor comodidad y seguridad, desde el rol o personaje elegido para este mensaje en particular.

¿Cuándo?

En la comunicación normal suele prestarse poca atención al ritmo, al tiempo. Tal cosa ocurre porque la vemos desde el punto de vista exclusivo de la información. El ritmo, el tiempo, como en la música, está más relacionado con las emociones. Pero son justamente las emociones las que posibilitan o dificultan los procesos de comunicación. La recomendación, por tanto, es observar y sentir en la medida de lo posible las condiciones rítmicas, es decir, de encauzamiento emocional del proceso. En este caso, es bueno comenzar por dar la importancia requerida al momento de la comunicación, a cuándo comenzarla. Te recomiendo sentirlo como si se tratara de una partitura musical al imaginar el proceso de preparación que veníamos planteando como ejercicio. Más adelante se profundizará un poco más en este tema de los ritmos. Por lo pronto, es conveniente también observar lo que ocurre en otros procesos de comunicación, es decir, en la forma en que comienzan otras personas, para ir encontrando lo que nos parece más adecuado en nuestro caso.

¿Para qué?

Esta pregunta no se suele hacer en el proceso de preparación por parecer innecesaria, porque la damos por supuesta. Solemos considerar que es la que dio origen a nuestra necesidad de comunicarnos y que por lo tanto tenemos claro su sentido. Sin embargo, éste puede haber variado en el proceso. Si es así y no nos damos cuenta puede darse entrada a un proceso paradójico que se vuelva contra nosotros en un momento determinado. Resulta por ello importante que, después de haber considerado los puntos precedentes, nos preguntemos de nuevo para qué queremos comunicarnos, cuál es el sentido de lo que vamos a decir; hacia dónde vamos a caminar con nuestra palabra y con qué objetivo. Hay un viejo reflejo de sabiduría que advierte: «Si aquello que vas a decir no es más importante que el silencio, calla». Parece que en nuestros días la costumbre es la contraria. A veces se habla para hacer ruido, sin pretender decir nada. En ese caso te preguntaría ¿crees que de esa manera puede tener valor lo que dices? ¿Te das valor a través de la palabra, a través de tu comunicación? Imagina, siente y deja que tu corazón te hable, antes de que las palabras salgan de ti.

¿Dónde?

Pudiera parecer que el lugar donde nos comunicamos no tuviera importancia, pero no es así. De hecho, todos hemos comprobado que hay lugares en los que nos sentimos más cómodos que en otros. Esa «comodidad» permitirá que nuestra comunicación sea más fluida y natural. Si algún elemento del entorno nos incomoda sería bueno corregirlo de alguna forma antes de comenzar a hablar. Deberíamos elegir adecuadamente, dentro de lo posible, el entorno. No es lo mismo comunicarse en mitad de la calle que en un salón reservado y exclusivo. Entre ambos ambientes hay muchos matices y posibilidades que te invito a considerar primero en tu imaginación. Después, una vez determinado el lugar (la calle, una cafetería, un despacho, una sala de conferencias, el comedor, la cocina o cualquier otro), también tiene su importancia si es en el centro del espacio, en un rincón, ante una mesa, con objetos como sillas o bultos de cualquier tipo o sin ellos. Te invito a imaginarlo y elegir tu lugar en las condiciones que sientas como las más adecuadas para tu comunicación.

Objetivo

El objetivo de nuestra comunicación debe ser el horizonte hacia el que caminamos. Si está bien definido nos permitirá seguir un camino más directo, claro y asertivo. En la medida en que ese objetivo sea difuso, nuestra comunicación también lo será. Este punto se encuentra relacionado con el para qué de la comunicación, que antes considerábamos. Pero no debemos pensar que son la misma cosa. El para qué determina una orientación de sentido, como un horizonte hacia el cual caminar. El objetivo es, o debe ser, un punto concreto de ese horizonte. Por eso conviene concretar el objetivo después de haber pensado y sentido el para qué. Una vez que lo veas claro, es importante que lo pongas por escrito; que lo encarnes en palabras precisas. Esto te permitirá comprobar hasta qué punto está claro o sigue siendo difuso. Manos a la obra. Cuando consigas expresarlo con claridad, por escrito, con el menor número de palabras posible, tu comunicación ganará considerablemente en potencia y eficacia.

Mensaje

A la hora de considerar el mensaje es bueno hacer un borrador por escrito, especialmente si aquello que quieres decir es importante. Si no lo fuera, como vimos antes, sería mejor callar. Te animo, por lo tanto, a que escribas un pequeño borrador, especialmente si no tienes aún mucha práctica en la comunicación eficaz. La idea del borrador no es redactar un texto que luego vayas a leer, sino centrar tus ideas y comprobar qué es lo que tienes claro y lo que no a la hora de ponerlo en palabras. Esto te ayudará a adquirir seguridad y asertividad. Sobre el borrador tendrás ocasión de corregir, reorganizar y decidir lo que se relaciona con el objetivo de tu comunicación y lo que no. Después de sentir satisfacción con el resultado, selecciona tres o cuatro palabras que reflejen el contenido de lo que has escrito. Asegúrate de que en ellas están los puntos clave. Estas tres o cuatro palabras serán las que debes conservar finalmente para asegurarte de que en tu comunicación espontánea recuerdas los puntos esenciales de tu comunicación. Conviene que las tengas al menos en tu bolsillo y que sepas que puedes mirarlas si te pierdes en algún momento o te confunden los puntos que se van desarrollando en una conversación. Por supuesto, podrás rectificar en cualquier momento. Tú eres siempre quien tiene la decisión de lo que quieres decir y callar. Pero sólo podrás elegir y ejercer tu poder si cuentas con elementos de referencia, como esas tres o cuatro palabras, el borrador y el objetivo de tu comunicación. Ahora, date unos momentos para sentirte en el escenario de tu fantasía llevando a cabo este proceso; trasmitiendo el contenido de tu mensaje de forma espontánea, dinámica, interesante y valiosa.

Ajustes

Todas estas preguntas y representaciones tienen como objetivo concederte la posibilidad de ajustar o rectificar a tiempo aquello que sea necesario. Ejerce tu poder para lograr tu eficacia y libertad; para desarrollar tus alas.

Respuesta esperada

También es muy importante que consideres la respuesta que te gustaría recibir. Hazlo primero racionalmente y después con tu imaginación y sentimientos. Si visualizas el resultado de forma libre, con un sentido de juego y bajo el amparo de una sonrisa interior, te aseguro que comenzarás a sentir la magia de la comunicación y el poder que tienes para lograr sorprendentes resultados con ella. Hay quienes llegan a sorprenderse escuchando en las personas con las que hablan exactamente aquellas palabras que imaginaron. Esto ocurre porque se genera la resonancia emocional adecuada. Practica y déjate sorprender en forma satisfactoria.

Escucha activa

Uno de los errores que suelen cometerse en los procesos de comunicación es concentrarse tanto en los propios argumentos, necesidades y deseos de expresión, que nos olvidamos de escuchar a los demás. Pero el verdadero poder de la comunicación eficaz se encuentra en quien sabe escuchar, más que en quien habla. Escuchar de forma activa es la clave de ese proceso; escuchar para obtener información de la persona o personas con las que hablamos y poder argumentar con precisión y contundencia. Cuando no preparamos nuestro mensaje, cuando no hemos hecho los ejercicios recomendados antes, necesitamos un gran esfuerzo de concentración durante el proceso de la comunicación. Ese esfuerzo nos pone en tensión, genera rigidez, reduce nuestra asertividad y nos impide escuchar de forma activa. Por ello, para conseguir potenciar la eficacia en nuestro proceso de comunicación, conviene prepararse. Así podemos hacer que la otra persona se sienta escuchada, lo que permitirá que también se sienta más dispuesta a escucharnos. La escucha activa es posible practicarla también cuando se trata de un auditorio compuesto por muchas personas, incluso aunque ninguna de esas personas diga una sola palabra. Se pueden «escuchar activamente» los gestos. Pero eso se tratará en otro momento; en el siguiente nivel del curso de comunicación.

Sensaciones

En las distintas partes del proceso de preparación de la comunicación he ido haciéndote sugerencias para sentir e imaginar aquello que pretendes o te gustaría aplicar y trasmitir en tu proceso de comunicación. Este contraste es esencial para generar coherencia entre tu pensamiento y tus emociones, entre tu cabeza y tu corazón. Esta coherencia es la clave de la eficacia, de la integridad y de la seguridad. Ahora bien, las sensaciones no se encuentran sólo en la etapa de preparación imaginativa. También están presentes en el proceso mismo de la comunicación y serán una herramienta fundamental para tantear la empatía, es decir, la base imprescindible para el entendimiento, con posibilidades de ajustarla, potenciarla o reconducirla en todo momento y así lograr la eficacia pretendida. Si has seguido las pautas sugeridas antes, incorporando la imaginación a cada etapa de la preparación de la comunicación, te resultará más fácil hacer uso de tus sensaciones como clave cooperadora en la magia de tu comunicación. Mientras llegas a ese punto, considéralo y practica. Practica hasta lograr esa sensación peculiar de satisfacción y seguridad de quien domina un proceso, es decir, quien ha desarrollado sus habilidades con eficacia y maestría.

Capítulo 4

EL ARTE DE PERSUADIR

De forma consciente o inconsciente, implícita o explícita, cuando comunicamos un mensaje o una idea, cuando elaboramos un discurso, suele animarnos la intención de persuadir a alguien de algo. Veremos a continuación una serie de referencias que pueden sernos de utilidad para tal fin y avanzar poco a poco hacia el excelso arte de la persuasión.

El contenido del discurso y la persuasión

Hay una falsa creencia, un tanto egocéntrica, es decir, infantil, basada en la idea de que todo el mundo está interesado en lo que pensamos, en lo que decimos. Pero la mayor parte de las personas sólo está interesada en sus propias ideas y discursos; sus problemas. Es como si cada uno de nosotros estuviera envuelto continuamente por una nube de abejorros que nos aísla del mundo. Y esos ruidosos insectos, simbólicos e invisibles, son nuestras preocupaciones, intereses, necesidades, temores, fantasías, frustraciones, es decir, nuestro mundo. Escuchar más allá de ese ruido ensordecedor es verdaderamente difícil. Para algunos, absolutamente imposible.

Traspasar tales corazas es el problema y el reto de la comunicación. Traspasarlas y cambiarlas, es decir, convencer con algo diferente, llega a ser equiparable a la rareza que supone la creación de una obra de arte. En ese punto arranca el liderazgo de la comunicación; la magia de la palabra.

En tal liderazgo podemos definir tres etapas:

- Captar la atención.
- Estimular el interés.
- Evidenciar la certeza.

Captar la atención

Captar la atención de la persona o personas con las que hablamos no es tan sencillo como parece, debido a esa «nube de abejorros» o coraza que acabamos de ver. Ésta, por otra parte, no suele ser del todo consciente, por lo que si preguntáramos a la persona o personas en cuestión si tienen interés en escucharnos su respuesta no sería de fiar, aunque ciertamente parece mejor obtener un sí que un no. La clave, por lo tanto, no estará en hablar a su consciencia ni a su voluntad sino a la emotividad que está por debajo o detrás de ella.

Si de entrada no se fijan en nosotros, comenzaríamos mal pero es superable. En ese caso puede ser de gran utilidad apoyarnos en un recurso externo, como puede ser un juego de luces o un sonido. De otra forma, si no conseguimos que nos atiendan, ¿cómo podríamos pretender convencer o dialogar?

Será bueno, en segunda instancia, mostrar amabilidad; hacer ver a esa persona o personas que valoramos su presencia. Ahora bien, ha de hacerse con determinación, es decir, con asertividad. Para ello deberemos tener en cuenta lo que habíamos practicado en este sentido, además de una serie de puntos específicos actuales:

- Hablar con claridad.
- Escuchar con atención.
- Tener muy claro lo que esperamos que la otra persona entienda y comprobar si ocurre.
- Tener muy clara la meta de la conversación y el camino para llegar a ella, aunque seamos flexibles a la hora de recorrerlo.

Como ya hemos visto, es de fundamental importancia preparar el mensaje. Recordemos para ello las imágenes que trabajamos, a modo de fantasías teatrales para predisponernos, y después verifiquemos también:

- Los posibles filtros u obstáculos culturales (valores, idioma y costumbres de los demás).
- Las experiencias que esas personas han tenido en situaciones similares (y por tanto los prejuicios que de antemano puedan tener acerca de lo que decimos o vamos a decir) enviando mensajes claramente diferenciados a nuestro favor, a ser posible desde la empatía y simpatía.

Estimular el interés

Resulta de fundamental importancia despertar el interés de los interlocutores. Si de entrada no conseguimos que se fijen en nosotros, ¿cómo podríamos despertar su interés?

Es importante tener en cuenta que, por lo general, el interés de las personas únicamente se estimula si lo que les decimos cumple alguna de estas condiciones:

- Les genera algún tipo de beneficio.
- Les soluciona algún problema.

Por este motivo, es de fundamental importancia que pensemos, preparemos y maduremos lo que vamos a decir, precisando con claridad el objetivo que pretendemos alcanzar a través de nuestra comunicación; el punto específico del horizonte al que deseamos llegar.

Evidenciar la certeza

Ahora es cuando llega el momento de demostrar que lo que decimos es cierto. Si pretendemos hacerlo *antes* de que hayamos captado la atención de los interlocutores, no será más que una pérdida de tiempo. De igual forma, si pretendemos demostrar lo acertadas que son nuestras ideas *antes* de haber despertado su interés, el efecto será sin duda mucho menor. Daremos una imagen menos convincente.

Las tres fases que acabamos de considerar (atención, interés y certeza) son claves esenciales de la estrategia de comunicación eficaz. Pero todavía quedan más elementos a tener en cuenta si queremos alcanzar la máxima efectividad en nuestra comunicación.

Preparación

En el capítulo anterior vimos una serie de elementos importantes para preparar nuestra comunicación. En relación con el mensaje, estuvimos considerando las bases para el contenido. Ahora podemos dar un paso más. En él consideraremos su estructura. Aunque estos pasos guardan más relación con una exposición pública, ponencia o conferencia, será de mucha utilidad que los tengamos en cuenta igualmente en nuestros procesos de comunicación coloquiales, si queremos potenciar su eficacia y contundencia.

Introducción

Antes de comenzar a plantear el punto clave de nuestro mensaje, conviene preparar el terreno. Ése es el sentido de la introducción. Naturalmente, debe tratarse de algo breve y motivador. Debería captar la atención y el interés hacia el mensaje que deseamos trasmitir, especialmente cuando este último consista en una argumentación compleja.

Cuando vemos las noticias en la televisión o en un medio escrito, electrónico o impreso en papel, podemos apreciar su estructura como un titular, una introducción a modo de resumen o preguntas para captar el interés y, finalmente, el desarrollo de la noticia. Cuando se va demasiado rápido al tema central del discurso o del mensaje podría resultar precipitado y generar rechazo. Para entenderlo a través de un ejemplo, podemos considerar una estrategia de venta o de seducción. Antes de ofrecer el producto o mostrar el deseo que nos impulsa al acercamiento, conviene sondear la necesidad y predisposición de la otra persona. La introducción, por lo tanto, tiene como propósito convertir una estrategia de imposición, asalto o violación de la intimidad en un vínculo de seducción, colaboración o beneficio común.

El tiempo (o espacio, en el caso de un texto) dedicado a ella debe guardar una proporción con respecto al previsto para la comunicación total. En cualquier caso, conviene que sea lo más breve posible y que nos aseguremos de conseguir el objetivo de ésta: captar el interés; despertar el deseo de escuchar el mensaje.

Puede hacerse en forma afirmativa, como por ejemplo:

- *A continuación hablaremos de tres puntos clave para conseguir el éxito en tus propuestas y liderar un proceso de comunicación.*

También se puede hacer en forma interrogativa:

- *¿Quieres conocer los tres puntos clave de los grandes comunicadores?*

Incluso es posible hacerlo de forma negativa para generar reacciones:

- *Hay personas que hablan pero no se comunican; no consiguen interesar con sus propuestas, aunque sean muy interesantes. Esas personas no conocen los tres puntos clave de la comunicación.*

Te propongo que pienses en algo que desees comunicar y escribas un par de frases introductorias, como acabo de hacer, con estos tres modelos. Después podrás encontrar tu propio estilo.

¿Te gustaría pedir un aumento de sueldo? ¿Invitar a cenar a alguien? ¿Ofrecer un producto? ¿Comunicar una mala noticia? ¿Cómo lo harías? Adelante. Practica. Ya sabes que… «Cuanto más practico, más suerte tengo», decía un conocido maestro del golf, del baloncesto, del fútbol, de la oratoria… y ahora: tú.

Desarrollo

Cuando nos proponemos convencer, el desarrollo del mensaje también debe tener una estructura. Esta estructura tiene como propósito vencer las resistencias naturales que todos tenemos cuando se nos propone algo nuevo. De ahí el término «convencer». Todas las fórmulas que nos convencen generan un cambio emocional, aunque no tengamos por costumbre reparar en él. Pero recuerda cualquiera de las experiencias que has tenido hasta el presente, los mensajes que te hayan convencido en cualquier momento o por cualquier medio. Comprobarás que en muchos casos habrás experimentado tranquilidad, confianza, alegría o entusiasmo en los procesos de comunicación positiva. Pero también puedes haber vivido otros momentos en que llegaste al convencimiento a través de emociones negativas, como la amenaza, el miedo o el dolor. Esta última forma de convencer supone chantaje, opresión y violencia de algún tipo. Puede ejercerse de forma sutil, desde la ironía; de forma contundente, como en presencia de un arma; o destructiva, a través de la tortura física.

Las propuestas que hago aquí son para desarrollar una estrategia de argumentación, es decir, una estructura para convencer que genere emociones positivas. Huyendo de las manipulaciones basadas en las negativas, porque éstas siempre generan rencor y a la larga se vuelven contra nosotros. En cualquier caso, si lo piensas con detenimiento, comprobarás que la clave de la comunicación tiene una base fundamentalmente emocional.

Más adelante veremos con más profundidad diferentes estrategias de argumentación. Por lo pronto te sugiero que consideres estructurar tu mensaje desde tus sentimientos, desde tu corazón, para conseguir en ti, en el proceso de preparación de tu mensaje, esa misma trasformación que te lleve del temor a decir algo a la seguridad de trasmitir lo importante: el valor.

Conclusión

La conclusión tiene como objetivo resaltar el valor alcanzado. La conclusión es «el parto», el nacimiento o florecimiento de lo importante, después del proceso de gestación, argumentación o negociación.

El éxito de la comunicación asertiva es presentar el mensaje fundamental de forma breve, con la misma extensión concedida a la introducción, después de haber argumentado para superar las dudas, reforzar los valores y consolidar la comunicación. Cuando se comunica el mensaje final (se pone el tejado), el que debe estar en la conclusión, antes de haber preparado el terreno en la introducción (los cimientos) y levantado la estructura del edificio a través del contenido argumentado del mensaje, lo normal es que se nos caiga encima y nos aplaste, es decir, que consigamos exactamente lo opuesto de lo que pretendíamos.

Siguiendo los ejemplos que planteamos en la introducción, te ofrezco ahora los tres equivalentes de la conclusión:

En forma afirmativa:

- *Las tres claves de la comunicación eficaz son: la empatía, la asertividad y el valor de la propuesta.*

Interrogativa:

- *¿Comprendes ahora por qué la empatía, la asertividad y el valor son las claves de la comunicación eficaz?*

Negativa:

- *No puede alcanzar el éxito en la comunicación quien no consiga establecer una resonancia empática, no pueda trasmitir su mensaje con asertividad y no logre decir algo valioso.*

De la misma forma que te sugerí anteriormente, practica fórmulas de mensaje como conclusión en relación con los temas que te interesan, preocupan o necesitas.

Resumen y cierre

El resumen es algo diferente a la conclusión. En él se debe recordar al receptor el título o tema del mensaje, la problemática, necesidad o duda que se haya mostrado en la introducción –pero hay que hacerlo breve-mente– los elementos básicos de la argumentación y los valores de la conclusión. Una vez hecho esto, se debe cerrar con la acción pretendi-da: la firma de un contrato o de cualquier otro documento, el pago del producto vendido o el beso apasionado.

La comunicación persuasiva

Como acabamos de ver, cuando decimos algo, ¿qué pretendemos?, ¿ha-blar y hablar sin parar, para vencer por puntos al adversario? Podemos decir muchas palabras, avasallar con argumentos, sin que los demás nos escuchen.

Ya hemos visto que si no logramos que nos escuchen, difícilmente podremos convencer. En el mejor de los casos, nuestros interlocutores fingirán que nos prestan atención y escaparán, saldrán huyendo, a la menor oportunidad que se les presente. Ésta es la forma del llamado «lenguaje de besugos», en el que supuestamente se emite información y se simula su recepción, y en el que finalmente queda una sensación de desconcierto y desconfianza, que genera pensamientos despóticos y victimistas del tipo: «No me entiende», «Me decepciona», «Me des-precia» o «Se cree más importante que yo». Todo esto se traduce en conflictos de todo tipo, enfrentamientos y malentendidos. Acostum-bramos a atribuir «a los demás», sean quienes sean, la culpa de lo que sucede.

Lo cierto es que los errores cometidos por la falta de preparación de los objetivos y la forma de plantearlos suelen ser la causa de la co-municación desastrosa.

La comunicación persuasiva consiste en ese conjunto de habilida-des que venimos considerando y que nos permite gestionar adecua-damente nuestras acciones, para obtener resultados concretos, es decir, el éxito y el liderazgo del proceso.

Repasemos a continuación las claves de la comunicación persuasi-va desde otro ángulo:

Clave 1. La empatía

- Asegúrate, siente y confirma: la conversación debe trascurrir en un clima de colaboración y serenidad.
- Cualquier alteración, propia o ajena, ha de trasformarse cuanto antes en bienestar y confianza. Sonríe.

Clave 2. La repetición asertiva

- Al expresar algo valioso, confirma que se ha entendido.
- Indaga sobre el grado de interés y valor concedido a tu propuesta.
- Repite el mensaje varias veces, desde diferentes ángulos y con ejemplos diversos.

Clave 3. La sencillez y el valor

- Simplifica tu mensaje hasta quedarte sólo con lo valioso.
- Aporta sólo datos útiles y relacionados con el objetivo.

Hay quienes creen que cuanto más rimbombantes sean los mensajes, mucho mejor. Pero no es así. La mayoría de las personas, debido a un egocentrismo inconsciente, procura dedicar el mínimo posible de su energía a los demás y sus asuntos. Cuantos más mensajes nos envíen y más complicados sean, más impulsos viscerales surgirán en nosotros para terminar la conversación cuanto antes. La única forma de mantenernos en ella es que tales mensajes sean de valor para nosotros y lo suficientemente sencillos.

La argumentación

Hay quienes confunden la argumentación con una exposición obsesiva de prejuicios en diversas formas. Por ello se tiende a pensar que los argumentos son desagradables e inútiles. Una de las acepciones de «argumentar» que muestra el diccionario es «disputa». En este sentido, a veces decimos que dos personas «están argumentando» en el sentido de que mantienen una discusión verbal. Esto es algo muy común. Pero no representa lo que realmente es un proceso de argumentación eficaz.

Podemos definir la argumentación como aquel proceso en el que se ofrece un conjunto de razones o pruebas que sirven de apoyo para llegar a una conclusión. Según esto, argumentar no consiste simplemente en plantear ciertas opiniones ni es una discusión. Los argumentos son procesos de apoyo en favor de ciertas afirmaciones, propuestas, opiniones o mensajes, articulados a través de razonamientos coherentes. En este sentido, los argumentos son claves esenciales de un discurso eficaz.

El argumento es esencial, en primer lugar, porque es una forma de contrastar opiniones relevantes para llegar a la más valiosa. Hay muchos puntos de vista y posibilidades diferentes. Algunas conclusiones pueden apoyarse en razones de peso. Otras, en cambio, tienen una cimentación mucho más débil y no siempre tenemos la experiencia o los conocimientos adecuados para distinguir entre un caso y otro. Sea como fuere, en nuestra situación resulta siempre fundamental que forjemos argumentos adecuados en favor de las diferentes conclusiones y luego podamos valorarlos para considerar su auténtica fortaleza, como ocurre con los pilares o columnas de un edificio. En este sentido, un argumento es también un medio para indagar, filtrar y ejercer una crítica adecuada para garantizar la solidez y el valor de nuestras propuestas.

También es importante argumentar de forma adecuada para poder defender y explicar, con el objetivo de convencer y alcanzar resultados eficaces en relación con otras personas. Un buen argumento no es una mera reiteración de las conclusiones. En su lugar, ha de ofrecer razonamientos y pruebas sólidas para que otras personas puedan formarse sus propias opiniones; tomar sus propias decisiones a favor de la propuesta planteada. Si llegamos a la convicción de que está claro que debemos cambiar la forma de criar y tratar a los animales, por ejemplo, debemos utilizar argumentos que nos ayuden a explicar por qué y cómo hemos llegado a tal conclusión. De esa forma lograremos convencer a otros. Debemos ofrecer razones y pruebas que sean absolutamente convincentes para nosotros mismos, que lleguemos a sentirlas y vivirlas como parte de nuestra propia realidad. Aunque, por otra parte, deberemos también estar dispuestos a mejorar nuestra visión, a enriquecer nuestros razonamientos, cuando alguien nos presente argumentos más sólidos. La habilidad, en este último caso, de integrarlos en nuestro propio discurso nos permitirá poner en común las visiones y crecer, es decir, convencer.

Composición o estructura de un argumento

Como ya vimos, la conclusión es la afirmación a favor de la cual se van desarrollando los razonamientos. Estas afirmaciones que sirven de mediadoras para ofrecer los hechos y razones, es decir, la estructura del edificio de la comunicación se llaman premisas. También vimos que los argumentos se pueden utilizar como un medio de indagación. Una forma de ejercer la argumentación puede ser comenzando por la conclusión que se quiere defender. En este caso, debe exponerse ésta con claridad y preguntarse a continuación con qué razones se cuenta para llegar a ella.

En cualquier caso, lo primero que se debe hacer para construir un argumento es preguntarse, ¿qué estoy tratando de probar?, ¿cuál es mi conclusión?

Presentar las ideas con un orden natural

Puede ser tan buena la estrategia de plantearse la conclusión y a continuación exponer las razones, como la de exponer primero las premisas para extraer de ellas la conclusión final. En cualquier caso, es muy importante que se expresen las ideas en el orden más natural posible según suelen ordenarse nuestros pensamientos.

Premisas fiables

Si no estamos seguros de la fiabilidad de una premisa, puede que sea necesario realizar una investigación al respecto o dar algún argumento corto en favor de ella. Si no podemos argüir adecuadamente en favor de la o las premisas, entonces conviene tomar otra pauta de inicio para la argumentación.

Lenguaje concreto, específico, definitivo

Como ya vimos, nos conviene poner primero por escrito algunas ideas concretas, a modo de borrador, evitando los términos generales, vagos y abstractos. Conviene que el lenguaje utilizado no sea demasiado emotivo. Las palabras deben expresar datos, hechos o razonamientos contrastables, desde una sensación empática de serenidad, con una sonrisa respetuosa. Conviene evitar que los argumentos utilizados se realcen caricaturizando al oponente, ya se trate de una persona presente, real o ficticia. Muchas personas defienden su posición con razones serias y sinceras. Tratemos de entender sus opiniones aun cuando pensemos que están completamente equivocadas. Si no podemos imaginar cómo podría alguien sostener el punto de vista que estamos criticando, es porque todavía, tal vez, no lo hemos entendido bien. Evitemos un lenguaje cuya única función sea la de influir en las emociones de los oyentes, ya sea a favor o en contra de las opiniones que se están discutiendo. Las emociones que aparezcan deben ser positivas y equilibradas o amparadas por razones y datos. Un lenguaje demasiado emotivo sirve sólo para quienes ya están de nuestra parte, pero una presentación cuidadosa de los hechos puede, por sí misma, convencer a cualquier persona.

Usar términos consistentes

Conviene usar un solo conjunto de términos para cada idea: los términos consistentes son especialmente importantes cuando el propio argumento depende de las conexiones entre las premisas. Es importante que usemos un único significado para cada término. La tentación opuesta es usar una sola palabra en más de un sentido: ésta es la falacia clásica de la ambigüedad. Una buena manera de evitar la ambigüedad es definir cuidadosamente cualquier término clave que introduzcamos. Después debe prestarse gran atención para utilizarlo sólo en el sentido en que lo hemos definido. También puede ser necesario definir términos especiales o palabras técnicas.

Argumentar con ejemplos

Argumentar mediante ejemplos consiste en ofrecer uno o más ejemplos específicos en apoyo de una generalización. En este sentido, convendría preguntarse, ¿cuántas premisas o ejemplos apoyan adecuadamente una generalización? Uno de los requisitos fundamentales para el éxito de la argumentación es que los ejemplos que se utilicen sean ciertos, puesto que un argumento debe partir de premisas fiables. Si las premisas no pueden sustentarse, no hay argumento. Para comprobar los ejemplos de un argumento, o para encontrar buenos ejemplos para los argumentos que usemos es importante investigar.

Un ejemplo simple puede ser usado a modo de ilustración. Pero tan sólo un ejemplo no ofrece prácticamente ningún apoyo para una generalización. Pudiera tratarse, en todo caso, de un modo atípico, la «excepción que confirma la regla». Siempre se suele necesitar más de un ejemplo y conviene estar preparados, incluso aunque a la hora de la verdad no fueran precisos más. En una generalización sobre un conjunto de casos relativamente pequeño, el mejor argumento examina todos, o casi todos, los ejemplos. Las generalizaciones acerca de grandes conjuntos de casos requieren la selección de una muestra. ¿Cuántos ejemplos son necesarios? Depende de su representatividad y del tamaño del conjunto acerca del cual se hace la generalización. Usualmente los conjuntos grandes requieren más ejemplos. Cuando elaboremos nuestro propio argumento, no debemos confiar sólo en el primer ejemplo que nos venga a la cabeza. Los tipos de ejemplos en los que, probablemente, pensamos de inmediato, es probable que estén sesgados. Una vez más conviene hacer suficientes lecturas, pensar cuidadosamente en las muestras apropiadas y ser honesto buscando contraejemplos.

La información contextual

A menudo se necesita contar previamente con una información contextual, es decir, algunas referencias que nos orienten con respecto al tema específico que vamos a tratar, para poder evaluar un conjunto de ejemplos. Para juzgar una serie de ejemplos a menudo tenemos que examinar las proporciones subyacentes. Cuando un argumento ofrece proporciones o porcentajes, la información contextual o de trasfondo ha de ser relevante y debe incluir normalmente el número exacto de ejemplos que vamos a utilizar.

Los contraejemplos

Si se nos ocurren contraejemplos de una generalización que deseamos defender, es conveniente revisar esa generalización. En algunos casos podemos poner en cuestión el supuesto contraejemplo, o bien se puede refutar planteando que el contraejemplo se encuentra, en realidad, en concordancia con la generalización; incluso podríamos reinterpretar el contraejemplo como otro ejemplo más. Conviene pensar en contraejemplos cuando evaluemos los argumentos de cualquier otra persona. Preguntémonos, en este caso, si las conclusiones de esa persona tendrían que ser revisadas y limitadas, o si tienen que ser retiradas por completo, o si el supuesto ejemplo puede ser reinterpretado como un ejemplo más. Esta regla debe aplicarse tanto a los argumentos de cualquier otra persona como a los propios; la única diferencia es que nosotros tenemos la posibilidad de corregir nuestra generalización excesiva.

Argumentar por analogía

Los argumentos por analogía, en vez de multiplicar los ejemplos para apoyar una generalización, discurren de un caso o ejemplo específico a otro, argumentando que, debido a que los dos ejemplos son semejantes en muchos aspectos, son también semejantes en otro aspecto más específico. Cuando un argumento acentúe las semejanzas entre dos casos, es muy probable que sea un argumento por analogía.

¿Cómo evaluar los argumentos por analogía?

La primera premisa de un argumento por analogía debe formular una afirmación del ejemplo usado como una analogía.

La segunda premisa debe afirmar que el ejemplo de la primera premisa es similar al ejemplo acerca del cual el argumento extrae una conclusión.

Las analogías no requieren que el ejemplo usado como tal sea absolutamente igual al ejemplo de la conclusión, éstas requieren sólo similitudes relevantes.

Tipos de argumentos

Veamos ahora algunos tipos básicos de argumentos.

Argumentos de autoridad

A menudo tenemos que confiar en otros para informarnos y para que nos digan lo que no podemos saber por nosotros mismos. Si no podemos juzgar a partir de la propia experiencia, entonces recurrimos a los argumentos de autoridad. Los criterios de un buen argumento de autoridad deben tener en cuenta lo siguiente:

- Las fuentes deben ser citadas, estar bien informadas y ser imparciales.
- Se debe comprobar el origen de las fuentes y rechazar aquellas que se basen en ataques personales y no en el tema tratado.

Argumentos sobre causas

A veces tratamos de explicar por qué sucede alguna cosa argumentando en relación con sus causas. En estos casos debería tenerse en cuenta:

- ¿Explica el argumento la manera en que la causa conduce al efecto?
- ¿Propone la conclusión la causa más probable?

También debe tenerse en cuenta que los hechos correlacionados no están necesariamente relacionados y pueden tener una causa común. Por otra parte, cualquiera de los hechos correlacionados puede ser causa de otro y las causas pueden ser complejas.

Argumentos deductivos

Los argumentos deductivos correctamente formulados son aquéllos en los que la verdad de sus premisas garantiza la verdad de sus conclusiones. Entre ellos se encuentran los conocidos como: *modus ponens*, *modus tollens*, el silogismo hipotético, el silogismo deductivo, el dilema y el reductio *ad absurdum*.

Modelo básico de argumentación

Quien intenta justificar o refutar una opinión mediante un argumento está trasmitiendo información. En general, decimos que está trasmitiendo un mensaje que comienza con una formulación (oral o escrita) por parte de la persona que lo emite y termina con su interpretación y evaluación por parte de quien lo oye o recibe. Por consiguiente, el proceso de trasmisión de información, en forma básica, consiste en proporcionar información (formulación) adquirir información (interpretación) y procesar la información (evaluación).

En la argumentación el mensaje siempre es complejo y tiene una función específica; sus componentes se interrelacionan de un modo específico. El mensaje consiste en un enunciado que cumple la función de una opinión y una costelación de uno o más enunciados que sirven como argumentación a favor o en contra de esta opinión. Esta costelación consiste a su vez en enunciados que justifican o refutan una oración o premisa que funciona como opinión y que es defendida o atacada por la costelación citada. Llamamos «texto discursivo» al conjunto compuesto por los enunciados que expresan la opinión y a los argumentos, frente al conjunto de oraciones o premisas que constituyen el argumento que son «la argumentación» a favor o en contra de una opinión.

El proceso de trasmisión de información por medio de la argumentación se completa cuando la persona en cuestión entiende que el mensaje verbal es un texto discursivo en el cual los argumentos aducen a favor o en contra de una opinión y cuando ésta evalúa la función de justificación o refutación de los argumentos. Dependiendo del resultado de esta evaluación, esta persona o bien acepta o bien rechaza la argumentación y la opinión. También puede esperar una nueva trasmisión de información, cuando se requiere clarificación o nuevos argumentos. Es decir, se inicia un dialogo que tiene la forma de una discusión o debate en el que los roles comunicativos de quienes participan en él se intercambian.

Contexto social y situación

La argumentación siempre ocurre en un contexto social particular. Las circunstancias específicas en las que ocurre la argumentación en un momento dado constituye la situación en la que se encuentra quien emite y quien recibe el mensaje. La interpretación de esta situación es de vital importancia para la argumentación. El emisor puede interpretar la situación de forma diferente al receptor y si estas interpretaciones son diferentes en todos los aspectos relevantes, el intercambio de ideas resulta imposible. Ni quien emite el mensaje ni quien lo recibe puede evitar que la situación los influencie. Podría suceder que los interlocutores crearan una situación, tomando en cuenta condiciones periféricas y definiendo la situación. Pero, en general, la situación está en gran medida predeterminada y los interlocutores deben obedecer ciertas reglas y considerar la forma en que otros interlocutores interpretan o pudieran interpretar la situación.

La interpretación de la situación y el estatus de los interlocutores constituyen un conjunto de presuposiciones generales. Por ejemplo, que el emisor puede asignar ciertos derechos y deberes al receptor y viceversa. Al mismo tiempo, también hay presuposiciones particulares que se relacionan con el conocimiento, ideas, actitudes y valores que un interlocutor asigna al otro. Por ejemplo, una persona puede suponer que el receptor conoce ciertos hechos y no los plantea. En este caso, quien emite el mensaje no sólo presupone los hechos, sino que también presupone que el receptor sabe que los conoce.

La teoría de la argumentación

La teoría de la argumentación parte de ciertas premisas generales que estipula como situación de argumentación y a partir de ella delimitará los alcances de su estudio y metodología. Es decir, cuando el teórico de la argumentación se enfrenta al análisis de un argumento particular, supondrá que ese argumento se dio en una situación que cumpla con los siguientes parámetros:

1. Los interlocutores hacen uso del lenguaje normalmente, es decir, en situaciones normales.
2. Quienes participan en la argumentación lo hacen de forma voluntaria y seria.
3. La persona que argumenta dice lo que quiere decir y se compromete con lo que dice.
4. Quien escucha entiende lo que el emisor dice y evalúa sobre la base a este entendimiento.
5. Los interlocutores pueden aducir cualquier punto de vista que deseen y cualquier información que consideren relevante para justificar o refutar una opinión.
6. El interlocutor que intenta justificar o refutar una opinión no debe saber por adelantado que los otros interlocutores comparten su punto de vista.
7. Cualquier interlocutor puede debatir cualquier afirmación hecha por cualquier otro interlocutor para justificar o refutar una opinión.
8. Los interlocutores deben estar dispuestos a defender todas sus afirmaciones contra las críticas de los otros interlocutores.

Estas ocho premisas tácitas tienen el propósito de facilitar el estudio de la argumentación, al asumir una situación en la que es posible concentrarse en los aspectos específicamente relevantes a la argumentación. Son, de algún modo, premisas prácticas. Las cuatro primeras premisas son relevantes para la trasmisión de información, aunque no son específicas de la argumentación. Indican qué tipo de situación debe asumirse en el campo de la teoría de la argumentación si se quiere evitar la intervención de otros factores que no tienen que ver con la argumentación misma. Las últimas cuatro premisas también son prácticas, pero al mismo tiempo están determinadas por principios, ya que todas ellas se refieren a las condiciones básicas para la argumentación significativa. El incumplimiento de cualquiera de estas condiciones implicaría una degradación de la importancia que la argumentación tiene para los interlocutores.

Dentro de la teoría de la argumentación existen distintos enfoques que dependen de las distintas concepciones de racionalidad. Si argumentar es apelar ante la audiencia a una evaluación racional, entonces la teoría de la argumentación debe proporcionar una definición o elucidación de las normas de racionalidad que deben aplicarse a tal evaluación. Los distintos enfoques resultan de la respuesta filosófica a la concepción de racionalidad.

Concepciones tradicionales de la racionalidad:

a) Lógica formal.
b) Empírica.
c) Crítica o trascendental.

Un punto en el que los teóricos de la argumentación pueden no estar de acuerdo es en lo que consideran que sea el objetivo primordial de la teoría de la argumentación. Suelen darse tres enfoques:

a) Concepción descriptiva.
b) Concepción normativa.

Los enfoques normativos y descriptivos pueden complementarse el uno al otro.

c) Concepción terapéutica.

El propósito en este último enfoque es mejorar la práctica argumental y proporcionar una guía útil para el entrenamiento sistemático en el arte de la argumentación, incluyendo elementos de ética y consideraciones estilísticas.

TERCERA PARTE

LA COMUNICACIÓN NO VERBAL

OBJETIVOS

✓ Considerar el cuerpo, los movimientos y las posturas en el entorno de la comunicación.

✓ Acercamiento a los gestos conscientes e inconscientes.

✓ Incorporar el uso del espacio y de la voz.

✓ Generar coherencia entre el lenguaje verbal y no verbal.

Capítulo I

EL CUERPO, MOVIMIENTOS Y POSTURAS

El cuerpo

¿Por qué es importante el cuerpo en un proceso de comunicación y expresión? Pues porque éste nos permite encarnar y estructurar la base de nuestras emociones, la energía y las sensaciones que se van componiendo en tal proceso, de forma dinámica, interactiva. Por otra parte, tales hechos y procesos se vinculan fisiológicamente con el aire, con el ciclo de nuestra respiración, de nuestros impulsos nerviosos y de la circulación de la sangre, que se están dando en el interior de nuestro cuerpo. Según sea o se componga nuestra estructura corporal, así también fluirán con libertad o dificultad tales procesos. Como consecuencia, nuestro cerebro tendrá mayor facilidad o dificultad para estructurar, archivar y responder a los mensajes que recibimos y gestamos en la comunicación verbal o escrita. Por ello dedicaremos ahora un tiempo para acercarnos a la comprensión y observación de nuestras dinámicas corporales en los procesos de comunicación.

Como hemos ido viendo, la expresión aglutina una serie de acciones diferentes a las palabras, aunque guardan una estrecha relación con ellas. Cuando nos comunicamos verbalmente, todos los seres humanos utilizamos una serie de recursos corporales y gestuales en los que normalmente no reparamos, aunque son la parte fundamental de la comunicación. Esto ha quedado demostrado en multitud de estudios e investigaciones, entre los que cabe destacar por su accesibilidad y claridad expositiva el de Flora Davis (1976), que lleva por título «La comunicación no verbal». Dentro de esta gama de elementos complementarios al habla se encuentra la mirada, así como los gestos y las posturas. Con ellos mostramos siempre, lo queramos o no, a las personas con las que nos comunicamos, actitudes de aceptación o rechazo, afirmación y confianza, dudas, resentimiento, ansiedad, preocupación y muchos otros mensajes subliminales.

En términos generales, entendiendo nuestro cuerpo como un medio importante de expresión para la comunicación no verbal, podemos destacar:

- La apariencia personal.
- La mirada.
- La expresión facial.
- Los gestos.
- Las posturas que adoptamos.
- La distancia y el contacto físico.

La apariencia personal

Nuestra forma de vestir, la manera en que nos peinamos, aseamos y perfumamos, en un sentido positivo o negativo, es decir, según su medida y pudiendo llegar a la carencia o al exceso, generan una serie de matices a nuestra comunicación, a lo que decimos, facilitándonos o dificultándonos que las otras personas acepten o rechacen el contenido de nuestro discurso.

La mirada

La manera en que miramos y respondemos a las miradas también desempeña un papel muy importante en nuestras conversaciones, reuniones de negocios, relaciones laborales, familiares, sociales o íntimas. Éste es un hecho ampliamente aceptado, aunque paradójicamente no solemos educarnos en este sentido y por lo tanto resulta difícil que lleguemos a hacer un uso eficaz de tan importante recurso. A través de la mirada expresamos nuestras emociones, aversiones, deseos o inquietudes, hasta el punto de llegar a desvelar a través de ella sentimientos o estados internos en general que preferiríamos mantener ocultos, al menos en ciertas circunstancias.

La expresión facial

Es muy conocida la expresión de que «la cara es el espejo del alma». A través de la expresión de nuestro rostro solemos trasmitir el grado de interés, comprensión, aceptación, extrañeza, desconfianza o rechazo, entre otras muchas emociones, al mismo tiempo que también tenemos la opción de leer tales rastros sutiles en nuestros interlocutores. De hecho, está comprobado que todos captamos los gestos y los interpretamos de forma subliminal o inconsciente, lo que genera en nosotros reacciones que pueden alterar nuestra predisposición al diálogo, conversación o exposición verbal de cualquier tipo.

Los gestos

El movimiento de nuestras manos mientras hablamos, ya sea intenso, evidente o discreto, sirve para resaltar, acentuar o acompañar expresiones, palabras o frases que consideramos especialmente importantes para intensificar o suavizar su significado. En la medida en que tal movimiento se encuentre bien articulado y suelto, se reflejará también nuestro grado de confianza, claridad o soltura en aquello que decimos.

Las posturas que adoptamos

La postura que adoptamos refleja nuestro estado de ánimo de forma consciente y, fundamentalmente, de forma inconsciente. En la medida en que nos acostumbremos a observarla podremos interactuar con ella y mejorar así lo que queremos trasmitir a los demás, independientemente de nuestros problemas, preocupaciones, temores, intereses o alegrías, ajenos al mensaje o la comunicación del momento. La forma en que nos sentamos o permanecemos en pie, inclinándonos hacia un lado u otro, la manera que tengamos de caminar o desplazarnos, con mayor o menor recorrido, mientras conversamos o desarrollamos cualquier tipo de exposición o ponencia, refleja nuestro estado de ánimo, de seguridad y confianza, las dudas o dificultades que internamente sentimos en relación con el tema que estamos tratando, viéndose a su vez afectado por las posturas de las personas que nos escuchan. De esta forma facilitamos o dificultamos los procesos de comunicación.

La distancia y el contacto físico

El contacto físico puede ser sinónimo de afabilidad, simpatía y sociabilidad, en ciertos contextos y con determinadas personas, a la vez que puede generar reacciones de rechazo, sospecha o temor en otros casos. Existen, de hecho, una serie de distancias de relación que han llegado a medirse y varían en diferentes culturas, para determinar una relación de intimidad, confianza, amistad, trato social o profesional. De esta forma llegamos a establecer estructuras de rol para una conversación. Hay muchas fórmulas habituales y aceptadas también para el saludo, como estrechar la mano, abrazar, besar o hacer un gesto en la distancia, que nos informan y condicionan sobre la posibilidad o no de entablar una conversación, así como los parámetros o el contexto de ésta. En un estudio realizado por Edward Hall (1989), publicado con el título *El lenguaje silencioso*, se hace referencia a que diferentes culturas mantienen diferentes estándares de espacio interpersonal. En las culturas latinas, por ejemplo, esas distancias relativas son más pequeñas y la gente tiende a estar más cómoda cerca de los demás. En cambio, en las culturas nórdicas se mantienen más las distancias. Darse cuenta de tales diferencias puede mejorar el entendimiento intercultural, ayudando a eliminar la incomodidad que se pueda llegar a sentir si la distancia interpersonal es muy grande o muy pequeña, en relación a la cultura de la que se trate. Adicionalmente, las distancias personales también dependen de la situación social, el género y la preferencia individual.

Otros medios

Estamos viendo que la comunicación no verbal se lleva a cabo a través de multitud de elementos y signos de diversos tipos. Además de los que acabamos de considerar, existe también una gran variedad de imágenes sensoriales (visuales, auditivas, olfativas…) que forman parte de nuestra comunicación diaria. Sintetizaremos a continuación una serie de condiciones o características que nos ayuden a centrar el tema que estamos estudiando.

Características de la comunicación no verbal

Entre las características principales de la comunicación no verbal podemos citar:

- Mantiene una relación con la comunicación verbal, pues suelen emplearse juntas.
- En muchas ocasiones actúa como reguladora del proceso de comunicación, contribuyendo a ampliar o reducir el significado del mensaje.
- Los sistemas de comunicación no verbal varían según las culturas.
- Generalmente desarrolla un mayor número de funciones que el lenguaje verbal, pues lo acompaña, completa, modifica o sustituye en ocasiones.

Sistemas de comunicación no verbal

Hay diferentes sistemas vinculados con la comunicación no verbal. Antes tratamos de forma introductoria lo referido al cuerpo y lo ampliaremos posteriormente. Pero también hay otros sistemas, como puede ser el lenguaje icónico.

El lenguaje icónico

En él se engloban muchas formas de comunicación no verbal: códigos universales (sirenas, morse, braille, lenguaje de los sordomudos), códigos semiuniversales (el beso, signos de luto o duelo), códigos particulares o secretos (señales de los árbitros deportivos).

Por todo ello, nos iremos centrando a continuación en tales diferentes aspectos para ir haciendo más consciente lo que todos sabemos de forma natural pero inconsciente. El objetivo de tal indagación es mejorar nuestros conocimientos de las pautas habituales de comunicación, propias y ajenas, con el fin de entrenar y optimizar nuestras respectivas habilidades. No obstante, nos detendremos primero en una serie de cuestiones que convendría que te plantearas en tu cuaderno de trabajo, esforzándote por responder a ellas según tus conocimientos y creencias actuales. Así podrás detectar los puntos fuertes de tus ideas sobre el tema y las debilidades, carencias, inseguridades o dudas al respecto.

Ejercicios introductorios

Para comprender un poco mejor aquello de lo que estamos hablando, podemos hacer ahora unos pequeños ejercicios introductorios. Se trata de reflexionar y recordar experiencias pasadas partiendo de una serie de preguntas que te servirán de guía. No es necesario que tomes nota en tu cuaderno. Puedes hacerlo sólo mentalmente. Pero el hecho de escribirlo te permitirá precisar y profundizar más.

- ¿Qué trasmites con la mirada a la persona o personas con las que hablas en el trabajo, en la calle, en un local público o en tu entorno familiar? ¿Qué gestos acompañan tales miradas? ¿Son siempre los mismos? ¿Qué te trasmiten las otras personas a través de sus gestos y miradas?
- En tu opinión, ¿qué es lo que constituye tu comunicación no verbal?
- ¿Utilizas algún elemento de apoyo para resaltar una expresión o idea que consideres importante en un determinado momento?

La postura o posturas

Aunque no lleguemos a percatarnos de ello, el lenguaje postural y gestual ocupa entre el 60 y el 80 por 100 de la comunicación humana. En los últimos tiempos, este lenguaje ha adquirido una especial importancia en nuestra sociedad. Cabe destacar su relevancia en las relaciones laborales, además de las interpersonales producidas entre personas de una misma comunidad, ámbito social, familia o pareja, en su vida cotidiana.

Es evidente que nuestro cuerpo refleja el estado de partida para un proceso de comunicación. Si éste refleja cansancio, abatimiento, tristeza, desde una postura debilitada y encogida, no trasmitimos lo mismo que cuando nuestra postura es erguida, manteniendo los músculos con la tensión equilibrada suficiente para atar todos nuestros huesos y poder así dirigir nuestros movimientos con seguridad y precisión. En esta segunda forma, también se refleja la seguridad y confianza que sentimos manteniendo las riendas de nuestra realidad, así como de nuestra voluntad y actitud para interactuar con ella y con los interlocutores que intervengan en el proceso. De la misma forma, en el caso de estar sentados, nuestra postura puede reflejar el grado de interés o distancia que mantenemos con respecto a lo que está ocurriendo en el proceso de comunicación en cada instante, por el grado de inclinación de éste hacia los interlocutores o en dirección contraria. Cuando nos inclinamos hacia el grupo o persona con quien hablamos, queda evidenciado nuestro interés e involucración por el tema, mientras que al inclinarnos en sentido contrario, hacia fuera de la conversación, se muestra nuestra distancia o falta de interés. Desde ahí pueden estarse forjando mensajes contradictorios porque, por una parte, a través de lo que decimos podemos hacer referencia, por ejemplo, a nuestra voluntad de hacer algo o colaborar en algún sentido con una persona o grupo, mientras que la postura lo contradice al reflejar distancia. En ese caso, nuestro mensaje tenderá a ser menos convincente o generar rechazo inconsciente en los demás.

Unida a la inclinación del cuerpo, hacia el núcleo de la conversación o fuera de él, también es importante considerar en el conjunto la disposición de nuestros brazos y piernas, manos y pies. La orientación que muestren estará marcando igualmente nuestra predisposición e interés hacia la conversación y los participantes en ella, incluso permaneciendo callados. Por ejemplo, podemos estar inclinados hacia la persona que habla y dirigir nuestros pies hacia otra persona, lo que muestra un interés por esta última, ajeno al proceso de la comunicación presente. Si tal situación se mantuviera y ese otro proceso de comunicación encubierto no encontrara salida, es decir, si no lográramos dialogar con la persona que despierta nuestro interés al margen de quien habla en ese momento, nuestra postura de inclinación tendería a cambiar hacia atrás perdiendo interés por el tema, e incluso nuestros brazos tenderían a cruzarse, hasta que la otra persona que nos interesa interviniese o tomásemos la palabra para dirigirnos a ella. En ese momento, cambiaría de nuevo nuestra postura corporal. Inclinaríamos el cuerpo hacia la persona en cuestión y abriríamos nuestros brazos reflejando el interés hacia ella, según el grado de éste y nuestra disposición de seguridad o timidez.

Por otra parte, en nuestra época se han tenido en cuenta factores que anteriormente no se habían considerado a la hora de estudiar este sistema de comunicación, al menos con el grado de precisión o profundidad requerido. Uno de estos factores es la diversidad de culturas de las cuales dependen los diferentes signos y más concretamente los diversos significados de éstos.

En muchas ocasiones valoramos, de forma implícita o explícita, la comodidad de utilizar este tipo de lenguaje, ya que nos posibilita la comunicación, mediante una postura o un gesto, de sentimientos o sensaciones que serían muy complejos e incluso imposibles de poner en palabras o expresar a través de la comunicación verbal.

Coherencia e integración

En la actualidad nos vemos rodeados de adelantos técnicos que nos plantean el problema de encontrarnos con la expresión visual separada de la auditiva o, como ocurre con la radio y el teléfono, encontrarnos con la expresión auditiva separada de la expresión visual.

Por otra parte, de la técnica moderna se derivan posibilidades para el estudio de la expresión que antes no se tenían, por lo que entonces se tiende hacia el ideal de un aislamiento de los fenómenos expresivos.

Los aparatos receptores de la nueva técnica, como el cine, posibilitan a la investigación de la expresión elegir otras condiciones de ensayo y liberarse de las trabas de los investigadores, sin renunciar por ello a una exacta definición del proceso expresivo.

La comunicación humana es un conjunto continuo de interacciones en la relación que engloba, en la mayoría de los casos, una pluralidad de formas de comportamiento, a veces independientes de nuestra voluntad. No es necesario que toda trasmisión de información sea consciente, voluntaria y deliberada; de hecho, cualquier comportamiento en presencia de otra persona constituye un vehículo de comunicación.

Albert E. Scheflen, investigador de la comunicación humana, ofrece el siguiente esquema del comportamiento comunicativo:

- Comportamiento verbal.
- Lingüístico.
- Paralingüístico.
- Comportamiento kinésico.
- Movimientos corporales, incluida la «expresión facial».
- Elementos que provienen del sistema neurovegetativo y comprenden la coloración de la piel, la dilatación de la pupila, la actividad visceral, etc…
- Postura.
- Ruidos corporales.
- Comportamiento táctil.
- Comportamiento territorial o proxémico.
- Otros comportamientos comunicativos (poco estudiados), como la emisión de olores.
- El comportamiento en cuanto a la indumentaria, cosmética, ornamentación, etc.

La relación entre las diversas modalidades de comportamiento comunicativo puede ser directa y manifiesta, como por ejemplo, cuando elevamos las cejas y el mentón al dirigir una pregunta a otra persona. En tales casos el mensaje se repite por distintos canales, hay redundancia y la ambigüedad tiende a desaparecer.

En otras ocasiones, la superposición de distintos comportamientos comunicativos puede dificultar la interpretación de los mensajes. Esto sucede cuando, por diversos canales, se emite información distinta e incluso contradictoria. Por ejemplo, puede mostrarse energía al hablar y simultáneamente adoptar una posición corporal antitética (inseguridad, timidez…). La emisión simultánea de informaciones distintas produce interferencias o «ruidos» que multiplican la ambigüedad de los mensajes y desconciertan al receptor, que no sabe o no puede interpretarlos.

Así, el contacto comunicativo no depende tanto de las intenciones del emisor (la trasmisión de información es, a menudo, inconsciente), como de la capacidad del receptor para relacionar e interpretar la información recibida a través de tan diversos canales.

El contexto y las relaciones internas de todos los elementos que forman parte del proceso comunicativo es lo que decide la significación del mensaje.

Lo que tantas veces se ha denominado «sexto sentido» no es más que una habilidad innata para interpretar los gestos y miradas del contrario. Aprender a controlar la comunicación no verbal es un área imprescindible para los negocios y otras facetas de la vida social.

En cualquier caso, dada la complejidad de los procesos de la comunicación, conviene conocerlos en profundidad y entrenar las correspondientes habilidades para lograr su integración y coherencia. De otro modo, los mensajes que generan contradicción, ambigüedad o incoherencia, debido a veces a ciertas costumbres aprendidas o heredadas de forma inconsciente, tienden a ser interpretados como sospechosos, poco fiables o completamente falsos.

Atención al tratar de analizar el lenguaje no verbal

Antes de tratar de analizar el lenguaje no verbal es importante que tengamos en cuenta los siguientes puntos:

- Como ya vimos, el comportamiento no verbal se encuentra muy relacionado con la cultura y el contexto.
- Nunca debe interpretarse un gesto aislado de otros.
- El significado de la comunicación guarda relación con el sentido que le confiere su intérprete.
- Cada gesto puede tener diversos significados.
- Es muy importante tener en cuenta los posibles defectos físicos, especialmente en la forma en que pueden condicionar los gestos.

Las manos y las miradas

Las manos junto con los ojos son los elementos más expresivos de nuestro cuerpo. La comunicación de las manos es muy usada por todos los seres humanos y cada cultura posee sus propios movimientos, pero existen algunos universales descubiertos por Paul Ekman. Estos movimientos universales se deben a las limitaciones del ser humano. Una de las señales más poderosas y menos considerada es el movimiento de la palma de la mano. Hay tres posiciones principales: con las palmas hacia arriba, con las palmas hacia abajo y con la palma cerrada apuntando con un dedo en alguna dirección.

- *Palmas hacia arriba:* es un gesto no amenazador que denota sumisión.
- *Palmas hacia abajo:* la persona adquiere autoridad.
- *Palmas cerradas apuntando con el dedo:* es uno de los gestos que más pueden irritar al interlocutor con quien se habla, especialmente si sigue el ritmo de las palabras.

Las palmas hacia fuera, mostrándolas, se asocia con la honestidad, la sinceridad, la lealtad y la deferencia. Cuando alguien empieza a confiar en otros, les expondrá las palmas o parte de ellas. Es un gesto inconsciente, como casi todos, que hace presuponer que se está contando la verdad.

La posición en la que se colocan las manos a lo largo de una conversación también dice mucho de quien realiza el gesto. Los dedos entrelazados son sinónimo de un gesto de frustración. Cuanto más altas estén las manos, más negativa será la actitud del contrario. Cuando se mantienen apoyados los dedos de una mano contra otra, formando un arco, se demuestra que esa persona tiene una gran confianza en sí misma, denota superioridad y conocimiento de un tema. Otro gesto de superioridad es cogerse las manos por detrás de la espalda; por el contrario, ponerlas en las caderas resulta sumamente agresivo.

Dar la mano es un gesto corriente en los saludos y las despedidas occidentales, los hay sumisos, dominantes y que trasmiten confianza y situación de igualdad. El dominio se trasmite cuando se da la mano con la palma hacia abajo y se toma la iniciativa en el saludo. La situación inversa, denominada saludo vertical, se produce cuando una persona ofrece su mano con la palma hacia arriba, lo que significa que se cede el poder al otro.

En el estrechamiento de manos se pueden trasmitir tres actitudes:

- La de dominio.
- La de sumisión.
- La de igualdad.

Los gestos que hacemos con las manos comunican siempre, aunque no reparemos en ello. Revelan nuestras emociones involuntariamente o como fórmula para aclarar mensajes verbales. El lenguaje de las manos nos puede revelar muchos datos de utilidad, en relación con el estilo personal, origen étnico, tensión que se está soportando...

- Frotarse las manos muestra una actitud positiva.
- Los dedos entrelazados hacen referencia a un estado de frustración y actitud negativa.
- Las manos en ojiva significan seguridad y autoconfianza.
- Las manos en las mejillas y el mentón, nos puede indicar cómo están recibiendo los receptores nuestros mensajes.
- La actitud de evaluación se suele mostrar con la mano cerrada apoyada en la mejilla, manteniendo el dedo índice hacia arriba.

- La pérdida de interés deja un rastro con el que poco a poco la cabeza irá descansando sobre la palma de la mano o se sostendrá con el dedo gordo en la barbilla.
- Los pensamientos negativos se reflejan con el dedo índice apuntando hacia arriba, mientras el pulgar aguanta la barbilla.
- Cuando alguien se encuentra en un proceso de toma de decisiones o analizando cualquier tema que se trate en ese momento, suele tocarse la barbilla.
- Cuando nos escuchan de forma crítica, solemos ver sus piernas muy cruzadas y el brazo sobre el pecho, en actitud de defensa.
- El aburrimiento tiende a mostrarse mirando el reloj constantemente.

Hay gestos de las manos y la cara que tienden a mostrar engaño, aunque no deben ser interpretados de manera aislada. En este sentido, son típicos:

- Llevarse las manos a la cara.
- Taparse la boca.
- Tocarse la nariz o el contorno de la boca.

El movimiento de las manos debe ser fluido y coherente. Al principio, cuando carecemos de experiencia y soltura, podemos ensayar algunos gestos previamente. Tan mala impresión producen unas manos que no paran de moverse como unas manos inmóviles. Los movimientos deben ser sobrios. Las manos se utilizarán para enfatizar aquello que se está diciendo, de manera que la voz y los gestos actúen coordinadamente, remarcando los puntos cruciales del discurso.

Miradas

También nos comunicamos a través de la mirada. La respuesta ante la mirada es innata en todos los seres humanos y coincide con la de los animales. Un aspecto curioso a mencionar en relación con este tema de la mirada es una creencia o «leyenda urbana» que mantiene que el exceso sexual crea ceguera o pérdida de vista. Puede tener cierta lógica teniendo en cuenta que las pupilas reaccionan ante los acontecimientos de la vida diaria y se dilatan.

- *Mirada fija:* Ante una mirada fija solemos sentirnos amenazados e inmediatamente apartamos la vista.
- *Guiños:* Movimiento de cerrazón de los párpados para expresar complicidad o simpatía.

La forma de mirar y su tiempo de duración reflejan la posición de predominio de una persona. Los ojos dan señales más precisas y reveladoras. Juegan un papel muy importante en las relaciones. Las mujeres miran más cuando hablan ya que se sienten menos cohibidas a la hora de expresar sus emociones, son más receptivas a las emociones de los demás; en cambio los hombres, aumentan el tiempo de la mirada cuando escuchan, esta diferencia reside en que a los niños se les enseña a controlar más sus emociones. Cuando una persona es deshonesta o trata de ocultar algo, tiende a evitar el contacto ocular. Sin embargo, este gesto tiende a confundirse muy a menudo con la timidez, por lo que deben hacerse comprobaciones complementarias.

Es necesario mantener un 60-70 por 100 del tiempo contacto ocular si queremos trasmitir confianza en la relación, sea ésta del tipo que sea. No mantener este contacto provoca irritación y muestra falta de interés o el deseo de perder de vista al interlocutor. La mirada es muy importante en una exposición ante un auditorio amplio. En tales circunstancias debemos mirar a los oyentes de forma tranquila, natural, recorriendo todo el auditorio. No se debe mirar al techo o al suelo. Debe mirarse al rostro más que a los ojos, procurando no detenerse demasiado en alguno de los oyentes en particular, lo cual resultará incómodo a quien se sienta observado reiteradamente y por otra parte el público pronto se dará cuenta, lo que generará reacciones incómodas. Han de evitarse las miradas frontales o muy concentradas, porque la mirada de por sí tiene ya una fuerza magnética. Además, cuando hablamos y miramos a quien o quienes nos escuchan podemos observar fácilmente actitudes y predisposiciones, así como evaluar el grado de buen entendimiento e interés de la conversación o exposición. Con la mirada podemos observar las muestras de entusiasmo y desinterés, aprobación o desaprobación, lo cual permitirá controlar a los oyentes distractores, que nunca faltan en las aulas o en otro tipo de comunicaciones e incluso en las conversaciones particulares. En tales casos, bastará una ligera señal para que se vuelva a recuperar la atención.

Cuando no miramos a las personas con quienes hablamos damos muestras de timidez y falta de confianza en nosotros mismos.

Capítulo 2

LOS GESTOS CONSCIENTES E INCONSCIENTES

Daremos ahora un paso más, ampliando, matizando y clasificando el amplio mundo de la comunicación no verbal.

Niveles de lenguaje y paralenguaje

En este apartado o clasificación se consideran aquellas cualidades físicas del sonido y los modificadores fónicos, como son el tono, el timbre, la cantidad o la intensidad de éste. Una expresión como «sí, claro», puede comunicar acuerdo, desacuerdo, agrado, desagrado o desilusión, dependiendo del tono con el que se emita.

Sonidos fisiológicos o emocionales

Por otra parte, el llanto, la risa, el suspiro, el carraspeo, el bostezo, son sonidos que comunican estados de ánimo en general. Pero algunos tienen también la función de calificar enunciados o regular la conversación, como la risa, que además de indicar alegría, miedo o nerviosismo, la utilizamos para mostrar acuerdo, entendimiento, seguimiento en la conversación y señalar comienzo o final de turno, entre otros.

Elementos cuasi-léxicos

Con esta denominación nos referimos a aquellas vocalizaciones y consonantizaciones de escaso contenido léxico pero con valor funcional, como son las interjecciones (¡ah!, ¡ay!, ¡oh!...), las onomatopeyas (glu-glu, ring-ring, zas, quiquiriquí...) y otros sonidos (uff, hm, ps, puaj...). Estos elementos cuasi-léxicos pueden indicar que algo o alguien te gusta (uaau); desagrado (puaj); comprensión en la conversación (ajá), etc.

Quinésica o kinestésica

Agregando matices y englobando técnicamente lo que veíamos antes, nos encontramos bajo este concepto, que deriva del griego *kiné* que significa «movimiento» y da origen a nuestra palabra «cine», los siguientes aspectos: los gestos, las maneras y las posturas.

Los gestos
Movimientos psicomusculares, tanto faciales como corporales, que comunican. Normalmente encontraremos varios gestos conjuntos como elevar las cejas, sonreír, abrir más los ojos, levantar el brazo y agitar la mano para saludar.

Las maneras
Formas de moverse para realizar actos comunicativos, como por ejemplo, la forma que adoptamos al montar en un trasporte público, la de comer, caminar, hacer cola, etc.

Las posturas
Son las posiciones estáticas que adopta el cuerpo humano, como estar sentados con las piernas cruzadas, abiertas, encima de una mesa, con las manos en la nuca, con el tronco recto y echado un poco hacia delante, etc.

Proxémica

Este término comenzó a usarlo el antropólogo Edward T. Hall en 1963 para describir las distancias medibles entre las personas mientras éstas interactúan entre sí. El término *proxemia* se refiere al empleo y a la percepción que el ser humano hace de su espacio físico, de su intimidad personal; de cómo y con quién lo utiliza. Podemos distinguir en ella tres aspectos: el conceptual, el social y el interaccional.

Conceptual
Son los hábitos de creencia y comportamiento relacionados con el concepto del espacio (aquí/ahí/allí; cerca/lejos).

Social
Uso que hacemos del espacio cuando nos relacionamos con otras personas (por ejemplo, la utilización del trasporte público o si dejamos espacio a la izquierda en las escaleras mecánicas para que otras personas puedan pasar más rápidamente).

Interaccional
La distancia que adoptamos para realizar actividades comunicativas interactivas. Podemos distinguir cuatro distancias básicas: íntima (para realizar actos más personales y expresivos), personal (es la distancia básica de la conversación), social (distancia que se mantiene en distintos actos sociales) y pública (en actos formales, como la que se adopta en una conferencia, congreso, etc.). Estas distancias varían en las diferentes culturas, una distancia personal puede llegar a ser íntima dependiendo de si las personas pertenecen a las llamadas culturas de contacto o culturas de no contacto.

Cronémica

Esta denominación deriva del término griego *kronos*, que significa «tiempo»; de ahí la palabra «cronómetro» o medidor del tiempo.

Como veíamos antes, también en este caso podemos diferenciar los tres aspectos básicos: el conceptual, el social y el interactivo.

Conceptual

Es la valoración que se hace del tiempo, la importancia que se le da. Es el valor cultural de conceptos como puntualidad/impuntualidad; prontitud/tardanza; ahora, enseguida, un momento, etc.

Social

Depende directamente del concepto que se tenga del tiempo. Está relacionado con los encuentros sociales (la duración de una visita, de una entrevista de trabajo, de una reunión); la forma de estructurar las actividades diarias (desayunar, almorzar, cenar); o determinadas actividades sociales (llamar por teléfono, pasear, estar en un parque o plaza).

Interactiva

Es la duración de los signos con los que nos comunicamos, como por ejemplo, la mayor o menor duración de un saludo o despedida, de un abrazo, del estrechamiento de mano, de un beso. Esta mayor o menor duración refuerza el significado o bien puede matizar o cambiar su sentido.

La paralingüística, la quinésica, la proxémica y la cronémica cumplen siempre alguna función dentro de la comunicación, son signos funcionales a diferencia de la comunicación verbal, que es básicamente expresiva. La comunicación no verbal se utiliza en la interacción social para saludar, presentarse, pedir perdón, felicitar, agradecer; en la estructura y control de la comunicación para pedir turno de palabra, pedir que se repita algo, o que se hable más alto; o en la interacción comunicativa para identificar objetos, ubicar, dar instrucciones, pedir a alguien que haga algo, etcétera.

A. M. Cestero (2004), en su libro *La comunicación no verbal*, menciona, además, que los signos de comunicación no verbal son plurifuncionales, cumplen una o más funciones dentro de la interacción. Entre estas funciones se encuentran fundamentalmente:

- Añadir información al contenido o sentido de un enunciado verbal o matizarlo. Se puede realizar esta función especificando o reforzando un contenido, como es el caso de usar un tono elevado en una expresión como «¿Qué haces?» (queriendo expresar que no le parece bien lo que está haciendo la otra persona); confirmando el contenido o sentido de un enunciado verbal como es el caso de mover la cabeza hacia los lados de derecha a izquierda para expresar negación acompañando a enunciados como «No, no, no, de eso nada»; debilitándolo como en el caso de usar un tono más bajo y sonreír mientras expresamos algo que puede molestar o afectar emocionalmente a alguien, como por ejemplo: «Yo no lo haría así» o «Creo que podrías mejorar este trabajo»; o contradiciéndolo como en el caso de pronunciar en tono alto y con gestos faciales o corporales que muestran enfado una expresión como «Muy bonito, ¡eh!».
- Sustituir el lenguaje verbal en la comunicación, como es el caso de gestos manuales para pedir a alguien que se acerque, que nos traiga la cuenta, para indicar que algo huele mal, que nos agrada o desagrada, etc.
- Regular la interacción mediante la pausa, descenso en el tono, alargamiento de sonidos finales o la fijación de la mirada para mantener el turno o ceder la palabra.
- Subsanar las deficiencias verbales, o sea, resolver problemas comunicativos por falta de conocimiento o por no recordarlo en ese preciso instante. De este modo, se emplen elementos paralingüísticos como «Ee» o «Mm» para indicar que no nos acordamos de una palabra, o bien intentamos mediante gestos explicar qué es.
- Favorecer las conversaciones simultáneas, como cuando una persona habla por teléfono y quiere comunicarse también con otra persona que está en su presencia.

Vinculaciones emocionales directas

Las investigaciones que llevó a cabo Paul Ekman (2004), reflejadas en su libro *¿Qué dice ese gesto?*, pese a partir de la hipótesis contraria, la de los rasgos y gestos emocionales aprendidos, le llevaron a la evidencia de que existen estructuras emocionales arquetípicas, es decir, que se dan vinculaciones emocionales directas y automáticas en todos los seres humanos, en relación con los gestos que se usan espontáneamente en los procesos de comunicación. Ekman y muchos otros psicólogos,[1] cuyos trabajos le sirven a él como verificación y contraste de resultados, unidos a sus propios trabajos de campo con diferentes culturas y asentamientos geográficos de todo el mundo, concluyen que hay respuestas fisiológicas universales con respecto a las emociones; son congénitas en todos los seres humanos. No se aprenden. Lo único que se adquiere, en los diferentes procesos de aprendizaje y socialización característicos de cada cultura, son sus variaciones y elaboraciones.

Reconocimiento de las emociones

Es difícil no comportarse emocionalmente cuando es mucho lo que está en juego. En tales circunstancias nos inundan emociones intensas que en muchos casos son nuestros mejores guías; forman parte de nuestros procesos de comunicación cotidianos, en relación con nosotros mismos y con los demás. Nos dirigen para que hagamos y digamos exactamente lo correcto en una situación determinada. Pero no siempre es así. Este camino hacia la inteligencia intuitiva de nuestras emociones y su coherencia eficaz se encuentra obstaculizado. Por ello es muy importante aprender a reconocer las diferentes emociones. Éste es el primer paso para lograr el ajuste o corrección optimizando nuestros recursos. En ocasiones desearíamos no haber hecho o dicho lo que una determinada emoción nos obligó a hacer o decir. Por otra parte, si fuésemos capaces de apagar o eliminar las emociones, aunque sólo fuera temporalmente, las cosas podrían empeorar; las personas que nos rodean pensarían que somos indiferentes o incluso *inhumanos*. Experimentar emociones, preocuparnos de lo que sucede mientras nos comportamos de forma tal que ni nosotros ni los demás notemos nues-

---

1. Scherer, K. R.; Schoor, A. y Johnstone: *Appraisal Processes in Emotion*. Ed. Oxford University Press. Nueva York, 2001.

tra emotividad en la expresión es muy difícil. Como contraste, hay personas que padecen exactamente el problema inverso: no se emocionan, no se preocupan, pero expresan lo que sienten de la forma que los demás esperan. Se tiende a pensar en esos casos que se trata de un *hipercontrol*. Cuando respondemos emocionalmente perdemos la capacidad de elegir nuestro aspecto, el tono de nuestra voz o lo que nos vemos impulsados a hacer o decir, en contraste con otras circunstancias en las que sí tenemos las riendas. No obstante, aunque las emociones siempre se manifestarán de forma espontánea, podemos aprender a moderar nuestro comportamiento emocional a través de la comunicación no verbal convertida en desarrollo de habilidades. Especialmente nos interesa hacerlo para aquellos casos en los que luego podemos arrepentirnos. También podemos aprender a no quedar sometidos a la esclavitud del hipercontrol. Lo adecuado sería que pudiésemos aprender a escoger lo que sentimos y la forma de expresar nuestras emociones para poder manifestarlas constructivamente. En ese momento es cuando conseguimos ajustar nuestra inteligencia vital y emocional de forma coherente.

Con ese propósito iremos avanzando con ejercicios y prácticas de apoyo. Estos ejercicios deberán repetirse con una cierta constancia y regularidad, para lograr resultados evidentes. Como sugerencia mínima, debería repetirse cada uno de ellos todos los días durante una semana. Es decir, que se dedicará una semana en exclusiva a cada ejercicio, contando con prácticas diarias. Unos resultarán más sencillos que otros, en función del desarrollo actual de cada persona. Si se encontraran muchas dificultades con alguno, se debe repetir la práctica diaria durante una semana más.

Cada una de las siete emociones fundamentales posee una expresión facial diferente y universal.[2] Estas emociones son: la tristeza, la

---

2. Tal hecho quedó probado en las investigaciones llevadas a cabo por Paul Ekman, al que anteriormente cité, en lugares tan diversos como Papúa Nueva Guinea, Estados Unidos de Norteamérica, Japón, Brasil, Argentina, Indonesia y la antigua Unión Soviética. Y fueron contrastadas posteriormente por otros investigadores, en lugares diferentes y con una amplia gama de orientaciones culturales y vitales, y se llegó siempre a los mismos resultados de identificación de emociones y gestos.

ira, la sorpresa, el miedo, la repugnancia, el desprecio y la felicidad. Cada una de ellas, a su vez, puede matizarse con expresiones que representan toda una familia gestual e intencional, teniendo en cuenta su intensidad y el modo, por ejemplo, aunque no ha quedado probado aún el sentido universal de los gestos en estos matices. En ellos tiende a influir el aprendizaje cultural y social.

Además de las expresiones en el rostro, también se dan una serie de condiciones y procesos corporales asociados a cada una de tales emociones. Respecto a la tristeza, pero no a la angustia, se da una pérdida general de tono muscular; la postura se hunde, retrayéndose, perdiendo interés por la actuación. En el menosprecio aparece el impulso de mirar desde arriba hacia abajo; «por encima del hombro», como se suele decir. En la sorpresa y el asombro se produce una atención fija sobre aquello que nos llama la atención. En el alivio hay una relajación de la postura corporal. En el placer sensorial táctil se da un movimiento de acercamiento a la fuente de estimulación. En el resto de las sensaciones placenteras se produce también ese impulso de acercamiento, aunque puede quedarse en una simple mirada. Cuando se logra un objetivo difícil tiende a producirse un movimiento hacia la acción, generalmente en las manos. La risa que surge como consecuencia de una gran alegría produce movimientos corporales repetitivos, acompañando a los espasmos o carcajadas. Todos estos procesos nos ayudan a reconocer emociones. Son involuntarios y universales, al igual que las señales faciales y las tonalidades de la voz.

Sería bueno que prestáramos una mayor atención a la observación de tales procesos, en nosotros mismos y en los demás. Aprenderemos, de esta forma, a mejorar nuestra capacidad para identificar y distinguir unas emociones de otras, así como los matices y diferencias de modo e intensidad. En este sentido puede sernos de mucha utilidad llevar una especie de diario en el que, al final del día, escribamos nuestras impresiones, observaciones y vivencias más destacadas de la jornada.

Significados gestuales

Desde 1872 hasta ahora los investigadores han registrado casi un millón de claves y señales no verbales. Se ha comprobado que entre el 60 y el 80 por 100 de la comunicación entre seres humanos se realiza por canales no verbales. Los gestos deben analizarse en el contexto en el que se producen. Hay que tener en cuenta que cada gesto es como la parte de una frase. La diferencia es que, al contrario que en el lenguaje oral, las frases gestuales siempre dicen la verdad sobre los sentimientos y las actitudes de quien las emite.

Los estudios demuestran que las señales no verbales influyen cinco veces más que las orales y que la gente se fía más del mensaje no verbal. Los gestos se hacen más elaborados y menos obvios con la edad, por ello es más difícil interpretar los gestos de una persona de cincuenta años que los de un individuo joven. El número de señales gestuales que cada persona usa en su vida diaria es casi infinito, con el agravante de tener significados diferentes en muchos países del mundo.

Veamos a continuación algunos:

- **Hombros:** Levantar los hombros sirve para expresar duda o ignorancia sobre un tema.
- **Cabeza:** Utilizamos esta parte del cuerpo para señalar una serie de ideas.
  - *Mover la cabeza de arriba abajo* indica asentimiento, conformidad con una idea.
  - *Mover la cabeza de izquierda a derecha* señala duda o disconformidad; es un gesto de negación.
- **Cejas:** Utilizamos el movimiento de las cejas para trasmitir las siguientes sensaciones:
  - *Alzamiento de una ceja:* Es una clásica señal de duda.
  - *Alzamiento de ambas cejas:* Señal de sorpresa.
  - *Bajar ambas cejas:* Señal de incomodidad o sospecha.

Experimento del doctor Birdwhistell

Partiendo de largas series de experimentos, este doctor consiguió separar distintos «kines» y determinar en qué punto un kine adicional trasforma todo el movimiento.

El doctor Birdwhistell define un kine como la menor medida del lenguaje corporal. Por ejemplo, el guiño definido como bajar un párpado mientras el otro se conserva inmóvil vacía al kine de toda emoción. Esto queda mejor definido en la explicación del siguiente experimento.

Al desarrollar un sistema de escritura del lenguaje corporal, es necesario eliminar toda emoción del movimiento observado. Es también necesario crear un sistema experimental para conservar y duplicar los kines. Con esta finalidad el doctor Birdwhistell le pide a un actor adiestrado en el lenguaje corporal que trate de proyectar diferentes movimientos y su significación a un grupo de estudiantes. De este modo, el que lleva las anotaciones descubre una pequeña diferencia del movimiento que proyecta una impresión distinta. A este movimiento apenas diferenciado puede entonces atribuirle un sentido. Partiendo de largas series de experimentos, Birdwhistell consiguió separar distintos kines y determinar en qué punto un kine adicional trasforma todo el movimiento.

Por ejemplo, se le dijo a un actor que se pusiera frente al grupo de estudiantes y trasmitiese la siguiente expresión:

Traducida a términos descriptivos, esta expresión sería un guiño con el ojo izquierdo cerrado y una mirada de soslayo desde el ángulo del ojo izquierdo. La boca normal y la punta de la nariz deprimida. Una segunda expresión se prueba entonces con el grupo de estudiantes. Diagramada sería la siguiente:

Lo que se describe como sigue: es un guiño con el ojo derecho, una mirada de soslayo con el ojo izquierdo, la boca normal y la nariz deprimida.

A los observadores se les pidió que indicaran la diferencia, y su comentario fue; «Parecen distintos pero no significan cosas distintas». Una información se agrega a los datos de la kinesia: no importa que ojo se guiña. El significado es el mismo. Y no importaría si se mira de soslayo por un lado del ojo.

Se prueba entonces en los observadores una tercera instrucción:

Esencialmente éste es el primer guiño sin mirada de soslayo y con la punta de la nariz deprimida. El grupo de observadores resolvió que esto era lo mismo que la primera expresión. La ciencia de la kinesia sabe ahora que una mirada de soslayo no significa cosa alguna en el lenguaje corporal. Finalmente, se prueba una cuarta variación:

En esta expresión el guiño es el mismo y la mirada de soslayo se mantiene con el ojo cerrado. La punta de la nariz está deprimida pero la boca está cambiada, mirando hacia abajo. Cuando esta expresión es mostrada al grupo, su comentario es: «Esto cambia las cosas».

El dato registrado en el fichero kinésico es el siguiente: una modificación de la posición de la boca determina una modificación del significado.

Por supuesto no consideró la modificación de la ceja en la secuencia. Si lo hubiera hecho, una pequeña modificación en cualquiera de las cejas podría haber señalado un significado distinto.

Estar pendiente y dejarse fluir

Para conseguir integrar todos estos elementos se precisa desarrollar una habilidad intuitiva, que esté por encima del análisis racional. De otro modo, como podrás comprobar, es una auténtica locura. Ninguna mente humana puede estar consciente y controlar de forma voluntaria todos los gestos, posturas, distancias, tonos, ritmos y procesos que estamos viendo y que veremos después. Para conseguirlo, conviene ir entrenándose en los ejercicios de visualización y representación mental imaginativa, en los que tales procesos parciales que vamos considerando, es decir, cada uno de los gestos y posturas propuestos, se convierten en juegos de representación como si fuéramos actores o actrices en un escenario donde, además de divertirnos, sentimos que recibimos los aplausos de los espectadores. De esta forma podremos integrar más rápida y eficazmente lo que estamos considerando. Pero ahora quiero proponerte también un ejercicio que podrá ayudarte a despertar la sensibilidad interna en forma kinestésica, a través del movimiento y el ritmo.

Ejercicio

Pasear durante quince minutos, mínimo, manteniendo la conciencia centrada en el ritmo respiratorio y contando del 1 al 10. Debes encontrar tu propio ritmo, procurando concluir la serie dentro de la inspiración-espiración.

Al terminar la serie, se comenzará de nuevo. Ejemplo: Se toma aire y se comienza a contar: 1, 2, 3, 4, 5… Sin dejar de contar, se suelta el aire: 6, 7, 8, 9, 10. Y de nuevo se toma aire, manteniendo el ritmo al contar pero comenzando de nuevo: 1, 2, 3, 4, 5…

Es una forma clásica de la meditación vipassana. Ayuda a despejar la saturación emocional y potencia la concentración, abriéndonos a las sensaciones corporales. En lugar de vivir permanentemente en la cabeza, comenzaremos a desarrollar más facilidad para fluir e incorporar de forma coherente la comunicación no verbal, incorporando los impulsos más pasionales del vientre y otras emociones vinculadas con diferentes partes del cuerpo. Parece muy fácil, pero hay personas que, cuando caen en la cuenta, han seguido contando mecánicamente hasta el 150 o más. Practica, respirando con serenidad y entre sonrisas.

Capítulo 3

ESPACIALIDAD

Uso del espacio

El espacio personal íntimo está formado por nuestro cuerpo y una zona a su alrededor de unos cuantos centímetros. En ese espacio sólo permitimos que entren los amigos más íntimos, parejas y familiares. Un poco más lejos se sitúa la zona personal, en la que sólo dejamos entrar a amigos y compañeros con quienes mantenemos una buena relación. Generalmente no permitimos que los extraños nos toquen o se sitúen demasiado cerca de nosotros y si invaden nuestro espacio sentimos nerviosismo, enfado, irritación o temor. A veces, sin embargo, no tenemos más remedio que aguantar esa invasión, como sucede al viajar en metro o autobús. En esos casos el cuerpo se tensa, se evita todo contacto ocular y se clava la vista en el infinito, con esa mirada que parece decir «En realidad no estoy aquí». Relajarse y moverse libremente podría suponer una amenaza para los demás.

Cuando se produce una invasión del espacio personal, se suele retroceder un paso para evitarla. Así, es posible encontrarse a veces con situaciones en las que dos personas, una de las cuales no respeta el espacio de la otra, se van moviendo por toda la habitación en una especie de baile en la que uno retrocede para poder respirar y el otro avanza porque siente que está demasiado lejos. En otros casos la invasión tiene lugar conscientemente para intimidar a la otra persona o ponerla nerviosa y hacer que retroceda mostrando así sumisión. La mejor manera de separarse de estas personas es dar un paso hacia un lado en vez de hacia atrás.

Las mujeres por lo general suelen sentir menos temor a aceptar que alguien invada su espacio personal, principalmente a la hora de dar muestras de cercanía. Los hombres, en cambio, suelen sentirse incómodos cuando una desconocida invade esta zona, aunque también lo interpretan como un deseo de mayor intimidad. También existen diferencias según la personalidad, y el espacio personal más amplio es el de los introvertidos, que necesitan mantener una mayor distancia entre ellos y su interlocutor.

Estudio de Edward T. Hall

En el estudio de Edward T. Hall (1989) se mide y estructura el espacio de las relaciones, basado en la sociedad norteamericana, de la siguiente manera:

Espacio fijo
Es el marcado por estructuras inamovibles, como las barreras de los países.

Espacio semifijo
Espacio alrededor del cuerpo. Varía en función de las culturas, ya que cada cultura estructura su espacio físico de forma peculiar. Este espacio puede ser invadido. Si se utiliza un territorio ajeno con falta de respeto, como cuando se mira fijamente a alguien o se ocupan dos asientos con bolsas cuando hay gente de pie en el trasporte público, se genera una violación del terreno.

Espacio personal o informal
La distancia social entre las personas está generalmente correlacionada con la distancia física. En este sentido, llega a describir cuatro diferentes tipos de distancias, que serían subcategorías del *espacio personal* o *informal*.

Distancia íntima
Es la distancia que se da entre 15 y 45 cm. Es la más reservada para cada persona. Para que se dé esta cercanía, tenemos que llegar a sentir mucha confianza y en algunos casos estar emocionalmente unidos,

pues la comunicación se realizará a través de la mirada, el tacto y el sonido. Es la zona de los amigos, parejas y familia, por ejemplo. Dentro de esta zona se encuentra la zona inferior a unos 15 cm del cuerpo, la llamada zona íntima privada.

Distancia personal

Se da entre 46 y 120 cm. Estas distancias se dan en la oficina, reuniones, asambleas, fiestas, conversaciones amistosas o de trabajo. Si estiramos el brazo, llegamos a tocar la persona con la que estamos manteniendo la conversación.

Distancia social

Se da entre 120 y 360 cm. Es la distancia que nos separa de los extraños. Se utiliza con las personas con quienes no tenemos ninguna relación amistosa, la gente que no se conoce bien. Por ejemplo: la dependienta de un comercio, el albañil, los proveedores, los nuevos empleados, etc.

Distancia pública

Se da a más de 360 cm y no tiene límite. Es la distancia idónea para dirigirse a un grupo de personas. El tono de voz es alto y esta distancia es la que se utiliza en las conferencias, coloquios o charlas.

Estructuración acomodada

Es el momento de pasar a hacer observaciones desde la sensibilidad del fluir que se va despertando en ti. Si todavía te resultara difícil, te sugiero que sigas practicando los ejercicios propuestos hasta que comiences a sentir esa sensación de fluir.

Una vez logrado, al menos mínimamente, el desarrollo de tales habilidades, te propongo que continúes con tus observaciones propias y del entorno, apuntando tus conclusiones en tu cuaderno de ejercicios.

1. Si estás en una habitación con otras personas, mira a tu alrededor y observa cómo están sentados o de pie. ¿Cuál es el espacio

promedio entre ellos? ¿Cuáles son sus posturas? ¿Parece alguno de ellos demasiado cerca de otro? ¿Se tocan entre ellos? ¿Qué gestos expresan con su rostro? ¿Con sus manos? ¿Con sus miradas? ¿Qué puedes deducir de esto? ¿Qué sientes, en relación con cada caso?

2. Trabajando con un compañero, muévete hasta estar en una posición que te resulte cómoda para entablar una conversación. Ahora acércate hasta que casi os toquéis. Después aléjate. Observa tus gestos y reacciones en el proceso, además de las expresiones, miradas y posturas de tu compañero. ¿A qué conclusiones llegas haciendo este ejercicio?

Después de haber hecho los ejercicios y haber tomado tus respectivas notas, será el momento de caminar por las calles con la sensación de dejarte fluir en la danza de la vida, sintiendo que desde tus emociones serenas y confiadas tu cuerpo se expresa con soltura, que todos tus gestos, posturas, tonos y expresiones forman parte de una totalidad de tu ser, que se encuentra más allá de tu pensamiento. Poco a poco, ve dejándote llevar para encontrar tu espacio, tus distancias de equilibrio y asentamiento dinámico, sin pretender explicar nada a nadie; son momentos de observación exclusivamente tuyos. Después, al llegar a casa, procura darte tiempo para poner en tu cuaderno las observaciones y aprendizajes del día.

Es conveniente vestir de forma apropiada para la ocasión. Si se trata de un acto formal, es adecuado vestir con traje. Si se trata de un acto informal, podremos vestir de manera cómoda o deportiva. En cualquier caso, es importante tratar de acercarse al estilo de las personas con las que vamos a hablar; de esta forma se facilita la aceptación por identificación y reconocimiento dentro del grupo y ámbito social correspondiente. Tan llamativo resulta vestir de manera desenfadada en un acto formal, como ir con chaqueta y corbata cuando los demás visten de forma casual. Debe buscarse información, dentro de lo posible, sobre el estilo de los asistentes para decidir de forma adecuada cómo ir vestidos. En caso de duda, es preferible adoptar la opción más conservadora. No obstante, una vez definido el estilo, ya sea formal o casual, trataremos de vestir algo mejor que la media del público asistente, para remarcar el rol de protagonistas. En cualquier caso, tenemos que sentirnos cómodos, contentos con nuestra apariencia. Eso acrecienta la autoconfianza y nos permite luchar contra las inseguridades que puedan aparecer. No obstante, debe evitarse todo exceso. La imagen debe realzar la presencia y la prestancia de la comunicación, pero sin llegar a eclipsarla. El auditorio tiene que prestar atención al discurso y no distraerse con atuendos espectaculares. También sería bueno que la imagen estuviera en consonancia con el mensaje que se quiere trasmitir, para potenciar su fluidez y coherencia. Si se tratara de una reunión festiva, por ejemplo, para celebrar los resultados o logros del trabajo realizado, se puede vestir con cierto exceso, aunque dentro de un orden. Si por el contrario, el director de una empresa quisiera comunicar un recorte de la plantilla o del presupuesto en alguna otra área, debería vestir de manera más sobria. Los detalles que tendemos a cuidar en la vida ordinaria deben recibir una especial atención cuando se va a hablar en público. Ha de cuidarse el peinado, el afeitado, la dentadura, los zapatos limpios, los botones abrochados, la corbata, y antes de subir al estrado o situarse en el escenario del proceso comunicativo es conveniente realizar una última revisión. ¿Qué ocurriría si nos diéramos cuenta demasiado tarde, por ejemplo, que se nos olvidó subirnos la cremallera del pantalón?

Situarse

Al igual que los medios de comunicación utilizan alambres, los cables coaxiales o el aire, nosotros también utilizamos el entorno, de manera consciente o inconsciente, así como los objetos que se encuentran en él, como medios portadores directos o indirectos, de nuestros mensajes de comunicación no verbal. Cada uno de los elementos del entorno y su disposición tiene sus ventajas e inconvenientes. Por ello conviene darse cuenta y situarse de la forma adecuada; ser nosotros quienes manejamos el entorno y no los objetos de éste los que nos limiten o esclavicen en nuestros mensajes. Es importante saber seleccionar los elementos de apoyo y atreverse a hacerlo; recomponer el lugar a nuestra forma, dentro de lo posible, y situarnos adecuadamente en él.

En primer lugar, conviene conocer las necesidades específicas del proceso de comunicación para el que nos vamos a preparar. Si hiciéramos caso omiso de la preparación, como ocurre muy habitualmente, en ese momento el entorno condicionaría nuestra comunicación generándonos trabas y dificultades, agregadas al proceso mismo y casi siempre inconscientes. Es cierto que en muchas ocasiones no hay tiempo ni posibilidades de hacer cambios. En estos casos conviene al menos «sentir» el lugar y dejar que nuestro impulso intuitivo, nuestro corazón, nos muestre el punto, el área y los objetos con los que nos sentimos mejor, que nos ayudan a reforzar nuestra seguridad y confianza.

La comunicación es la trasferencia de información de un lugar a otro, mientras que la información es un patrón físico al cual se le ha asignado un significado comúnmente acordado. Este patrón debe ser único, es decir, propio y diferenciado de cualquier otro, al tiempo que susceptible de ser enviado por un trasmisor y ser detectado y entendido por un receptor. Es un principio básico de la comunicación, como ya vimos. Por ello mismo, la información es trasmitida a través de señales verbales y no verbales, que utilizan un canal de comunicación o medio de trasmisión, en forma directa y dentro de un entorno peculiar; un espacio con características propias de temperatura, colores, dimensiones, sobrecarga o vacío de elementos contenidos en él. El medio de trasmisión es el enlace entre el trasmisor y el receptor; sirve de puente para unir la fuente y el destino del mensaje.

La forma en que se encuentre constituido el medio para la comunicación es de vital importancia. En él se encuentran factores indirectos como el ruido, las interferencias personales emocionales o físicas, propias o ajenas, ante las que es de fundamental importancia situarse. Pero al ser tan numerosas las variables que intervienen resulta casi imposible hacerlo de manera analítica, es decir, revisando uno a uno todos los elementos de forma consciente y voluntaria. Por ello resulta de vital importancia aprender a hacer uso de la capacidad intuitiva, de la sensibilidad emocional, para optimizar los recursos y potenciar nuestras habilidades de comunicación no verbal. ¿Cómo se hace esto? Recomponiendo e integrando el entorno como si fuera parte de nuestro cuerpo, de nuestras sensaciones; que sea el entorno y los objetos contenidos en él los que se encuentren a nuestra disposición y no al contrario.

Pero si no es posible cambiarlo según nuestros gustos y preferencias, según nuestra sensibilidad e intuición, entonces precisamos de la «magia» de hacerlo nuestro; sentir como si lo llenáramos todo con nuestra energía, con nuestro perfume personal. Así delimitamos nuestro territorio emocional y nos situamos en él.

Moverse en el espacio

Desde que subimos al estrado, entramos en la escena pública o privada, grande o pequeña, según el proceso de comunicación en que nos estemos involucrando, debemos ser capaces de utilizar el lenguaje corporal en sentido positivo, facilitando la conexión con el público, con nuestro interlocutor, reforzando nuestra imagen y considerándola a su vez adecuadamente integrada en el entorno emocional, como veíamos antes. Frente al auditorio, en el caso de tratarse de una exposición para un grupo de personas, debemos buscar una ubicación intermedia: ni pegados a la pared ni pegados a quienes se encuentran en la primera fila. Es preferible ubicarse en el centro del espacio que hay entre las primeras mesas o sillas y la pizarra, pantalla o rotafolio. La postura debe ser natural, en equilibrio, evitando recostarse en una y otra pierna, lo cual no implica rigidez pero sí asentamiento centrado. Los movimientos excesivos y agitados trasmiten ansiedad y malestar. Las manos deben estar libres, fuera de los bolsillos, evitando apretarlas nerviosamente. En todo caso, se pueden frotar con fuerza antes de comenzar, para generar una íntima sensación de confianza.

Es importante trasmitir serenidad y naturalidad, evitando gestos, actitudes o movimientos que resulten afectados. Para ello es de mucha utilidad imaginarnos antes el proceso con seguridad y soltura, con tranquilidad. Las prisas pueden traicionarnos y denotaremos nerviosismo e inseguridad. Durante la intervención o proceso de comunicación correspondiente, es conveniente moverse por el escenario, no quedarse inmóvil, pero controlando los movimientos, evitando deambular sin ton ni son. La movilidad rompe la monotonía y ayuda a captar la atención. Si tuviéramos que leer un discurso no cabría la posibilidad de movimiento, pero sí deberíamos mantener una postura cómoda, erguida, aunque natural, no forzada, sin aferrarnos al atril, porque esto genera una sensación de inseguridad. En los demás casos, como veíamos antes, tenemos que sentir que el entorno es nuestro; que forma parte de nuestro ámbito emocional de confianza.

Si estamos sentados, sería bueno tratar de incorporarnos a fin de realzar nuestra presencia y figura, para no quedar perdidos detrás de la mesa, por ejemplo. Para establecer una buena comunicación con el público es fundamental que exista contacto visual. Es bueno desplazarse a la derecha o a la izquierda, o hacia atrás si tuviéramos que utilizar una pizarra, por ejemplo, y regresar siempre al lugar de inicio de la exposición. Debe tenerse en cuenta que la ubicación que se tenga y los desplazamiento mal ejecutados distraen a los interlocutores porque el impacto de la comunicación no verbal, como vimos, es muy superior a la verbal.

Si es posible, como ocurre por ejemplo en un aula, es aconsejable moverse entre el público. Esto ayuda a romper las distancias, trasmitiendo una imagen de cercanía. Para lograrlo conviene superar la timidez buscando apoyos si fuera necesario. Los apoyos pueden ser recursos externos o internos, imaginarios. La timidez trasmite inseguridad y dificulta la conexión con el público. Los gestos de la cara deben ser relajados. La sonrisa, en todos los casos, permite generar empatía y ganarse al público, mientras que una expresión crispada provoca rechazo.

Conviene tener en cuenta algunas referencias sobre el significado de nuestros posicionamientos y movimientos para incluirlos de alguna forma en nuestro guión de movimientos.

Cuando nos colocamos de pie, en el centro del escenario, tendemos a trasmitir autoridad. Es como si mostráramos que somos los dueños del espacio. Si nos sentamos en un lateral del escenario por ejemplo, mostramos una actitud más relajada, menos solemne.

Además del lenguaje verbal y corporal, también debe tenerse en cuenta que trasmitimos una imagen personal que será valorada positiva o negativamente por el público en relación con otros factores agregados, como son nuestra complexión física, vestuario y composición estética. Es importante proyectar una imagen lo más positiva y agradable que nos sea posible, dadas nuestras condiciones personales. Una imagen agradable, atractiva y sugerente, abierta, aunque en el fondo seamos muy tímidos, se valora favorablemente y facilita el desarrollo de nuestra propuesta comunicativa. Una imagen descuidada, hosca, antipática, genera inevitablemente reacciones adversas, negativas, aunque se compartan las ideas expuestas.

Es muy importante evitar cualquier detalle que pueda afectar negativamente a la imagen. Por ejemplo, si nuestra estatura fuera un poco inferior a la media convendría asegurarse de que el atril que utilicemos, si ése fuera el caso, sea el apropiado; para no quedar ocultos detrás. Pudiera ser que intervinieran dos o más personas en el proceso, con diferencias de estatura considerables. En ese supuesto, sería conveniente que se situaran algo separadas, para evitar resaltar el contraste.

Podemos apoyar el discurso utilizando diferentes medios, como pueden ser una pizarra, trasparencias, la pantalla del ordenador u otros. Éstos sirven para captar la atención del auditorio y romper así la monotonía. Facilitan la comprensión y enriquecen la presentación.

Ayudan a trasmitir una imagen de profesionalidad. Nos dan seguridad al contar con material de apoyo. Pero tenemos que saber cuándo y cómo emplear estos medios. Porque deben servir para dar apoyo al discurso, ayudando a captar la atención del público, pero también pueden suponer un obstáculo que distraiga por cualquier motivo. En su uso debe primar la simplicidad. Se utilizan para clarificar y hacer más comprensible la exposición; esto sólo se consigue con imágenes sencillas. Si fueran complejas y difíciles de interpretar, en lugar de aclarar confundirían. Las imágenes en color permiten resaltar los elementos más relevantes, remarcar las diferencias y lograr que la imagen resulte más atractiva. Este material de apoyo debe ser eso, un apoyo al discurso, y no convertirse en la base de la presentación. Nunca deben llegar a restar protagonismo a quien lleva a cabo la presentación. Nosotros debemos sentirnos siempre, sin lugar a dudas, como los dueños de la escena. Si vamos a utilizar material de apoyo, conviene practicar previamente con él. En los ensayos hay que recrear las condiciones en las que se va a desarrollar la intervención. El uso de este material de apoyo requiere una práctica que sólo con el ensayo se consigue.

Puede ocurrir que al contar con material de apoyo nos sintiéramos más tranquilos y esto nos hiciera descuidar la preparación y las pruebas pertinentes. Hemos de cuidarnos siempre de caer en este error. Conviene tener prevista la posibilidad de que en el momento de la intervención no funcione el proyector, y tener una alternativa auxiliar, un «plan b». Para evitar una situación tan difícil, por remota que parezca, es bueno estar preparados para desarrollar la comunicación sin tales elementos de apoyo. Es decir, tenemos que estar preparados para, si es necesario, desarrollar estrategias de apoyo improvisadas. Las estadísticas muestran que en el último momento algo falla siempre y la cuestión es poder prescindir de lo que sea, como si no hubiera pasado nada.

La pantalla o pizarra se situará en el centro del escenario para facilitar su visión desde todos los ángulos. Mientras se explica la imagen, nos situaremos al lado de la pantalla para que el auditorio pueda vernos mientras sigue la explicación, sin tener que ir mirando de un sitio a otro. Por otra parte, mientras comentamos la imagen, debemos permanecer mirando al auditorio. Es muy importante que, a ser posible, jamás demos la espalda a quien nos escucha, aunque sea con la excusa o justificación de mirar la pizarra o la pantalla. Además, si se proyectan trasparencias o realizan demostraciones en la pizarra, sería bueno tener previsto el material para facilitarlo a todos, indicándolo así al comienzo de la intervención.

Capítulo 4

FONACIÓN

Uso de la voz

La voz es un recurso básico por el que nuestras palabras llegan a nuestros oyentes. La palabra es el vehículo que lleva el mensaje central del emisor al receptor. Tal es su fuerza que por su mediación se han levantado los edificios de la ciencia, derribando las murallas de la ignorancia. Por ello mismo, en el caso de estar hablando a un auditorio, todos deben escuchar con claridad. Para ello han de conocerse y cuidarse una serie de elementos vinculados con la voz y el ejercicio de ésta en el hecho de la trasmisión de la palabra, que no están incluidos en el mensaje verbal. Entre tales elementos están:

El volumen

Debe ser siempre adecuado para el ambiente, las personas y las distancias en que llevamos a cabo la comunicación. Por ello mismo conviene comprobar su idoneidad al inicio.

El tono

La voz debe ser modulada en término medio, entre el tono ronco y el chillón. Es la forma de pronunciación y la velocidad las que nos permiten decir correctamente las palabras.

La claridad

Consiste en la habilidad para pronunciar todos los sonidos diferenciados, en cada palabra, sin empastar ni saltarnos ninguno.

La modulación

Es la capacidad que tenemos para variar el volumen, el tono, la velocidad, el ritmo y las pausas, para evitar la monotonía e incorporar nuestras emociones al mensaje.

Criterios fonéticos

Al emitir los sonidos vocálicos el aire no encuentra obstáculos en su salida. En los sonidos consonánticos existe cierre o estrechamiento de los órganos articulatorios.

En los sonidos vocálicos la lengua no llega a tocar ningún punto de la boca, la mandíbula inferior desciende y la cavidad bucal presenta una mayor abertura. Los sonidos consonánticos son más cerrados que los vocálicos.

Todas las vocales son sonoras, mientras que existen consonantes sonoras y consonantes sordas. Comparando las consonantes sonoras y las vocales, se ha observado que en las vocales hay una mayor tensión y mayor frecuencia vibratoria de las cuerdas vocales que en las consonantes. Esto provoca que las vocales sean más perceptibles.

Cuando el aire de la fonación sale por la cavidad bucal, se denomina a estos sonidos «orales». Si lo hace por la cavidad nasal, se los denomina «nasales». En las vocales nasalizadas el aire sale por la cavidad nasal y la bucal; tales sonidos se conocen como «oronasales».

Criterios funcionales

Las vocales pueden formar sílabas, las consonantes no. Puede haber sílabas que contengan sólo vocales. Pero no existen sílabas sólo con consonantes: ai-re, o-jo, buey.

- El núcleo silábico es siempre una vocal.
- El acento, tanto el prosódico como el ortográfico, recae siempre sobre vocales, nunca sobre consonantes.
- Las vocales pueden formar palabras, las consonantes no: «e, o, u, y, ¡ay!, ha, he, ¡eh!, ¡oh!, hoy». Debemos tener presente que la grafía h no representa ningún sonido.

Criterios para clasificar los sonidos

Aunque existen diversos factores que podrían incluirse en la clasificación de los sonidos, tendremos en cuenta ante todo los siguientes criterios:

Modo de articulación

Es la posición que adoptan los órganos articulatorios, es decir, la posibilidad que se genera de una mayor o menor apertura a la salida del aire.

Lugar o punto de articulación

Es el lugar de la cavidad bucal en el que actúan los órganos articulatorios para producir el sonido.

Acción de las cuerdas vocales

Si las cuerdas vocales oscilan, vibran, se producen sonidos sonoros. Si no vibran, se desarrollan los sonidos sordos.

Intervención de la cavidad nasal

Si el conducto nasal está cerrado, porque el velo del paladar se haya retraído, el aire sale por la cavidad bucal. Entonces se producen los sonidos orales. Si, por el contrario, el conducto nasal está abierto, se producen los sonidos nasales.

Aparato fonador o de fonación

El aparato de fonación es el conjunto de órganos del cuerpo humano que funcionan para producir la voz. Éstos son: los pulmones, el diafragma, los bronquios, la tráquea, la laringe, la boca, el paladar, la lengua, los dientes, los labios, etc.

Fisiología del aparato de fonación

El aire contenido en los pulmones sale de éstos estimulado por el diafragma, músculo trasversal que regula la respiración. El aire pulmonar se conduce por los bronquios hacia la tráquea, en cuyo extremo superior está la laringe. Ésta presenta un estrechamiento por cuatro pliegues, dos a cada lado, que son las cuerdas vocales. Entre las cuerdas derechas e izquierdas hay una abertura que se cierra o se abre para dejar pasar el aire pulmonar, llamada «glotis». Las vibraciones de las cuerdas vocales abren y cierran la glotis, produciendo un sonido neutro que es la voz. Las diferentes posiciones de la lengua, la boca, los labios, etc., constituyen las articulaciones de la voz.

Las cualidades de la voz

Las cualidades principales de la voz son las articulaciones, la intensidad, la duración y la extensión. Las articulaciones son los movimientos de la boca que modifican la voz. Las articulaciones producen las letras, las sílabas y las palabras, por medio de los distintos elementos de la boca, garganta, lengua, dientes, labios, paladar, etc.

La intensidad de la voz es el mayor o menor grado de fuerza al emitir los sonidos. El mayor grado de intensidad lo constituye el acento, por eso decimos que la sílaba tónica o acentuada es la que se pronuncia con mayor intensidad.

La duración de la voz es el tiempo que se emplea en emitir los sonidos. Esta duración se constituye en función de la cantidad; las sílabas pueden ser largas o breves. En la palabra «translucido» tenemos una sílaba de larga duración: TRANS y las otras breves.

Tienen sílaba de larga duración, por ejemplo, «substracción», «transportar» o «infracción».

La extensión de la voz es la inflexión aguda o grave que se produce según se dilata más o menos la laringe. La extensión de la voz constituye el tono que puede ser grave o agudo. Uno de los aspectos más interesantes de la expresión es la entonación; buena prueba de ello la tenemos en las oraciones interrogativas, admirativas, exhortativas, etc. En ellas, el énfasis es sinónimo de entonación.

Gran parte del secreto de poseer una voz persistente, agradable y clara, cuyo empleo no se vea interrumpido por la fatiga, consiste en mantener bajo su tono.

La voz chillona destroza el oído y estropea el órgano que la produce. Las personas que hacen un gran uso de su voz, como los cantantes, oradores, maestros y locutores, se ven expuestos a perderla si no la cuidan como a un instrumento precioso. La voz no hay que forzarla, ni saliéndose del registro ni emitiendo notas de exagerada intensidad. Cuando se descuidan estas reglas de higiene pueden aparecer en las cuerdas vocales los llamados nódulos de los cantantes, signos de inflamación aguda crónica.

Defectos de la voz

Los más comunes son los casos de: voces guturales, nasales, roncas y temblorosas. Tales defectos pueden corregirse mediante ejercicios apropiados.

Voz gutural

Es causada por la contracción de los músculos de la garganta, lo que impide que la voz se produzca con toda su amplitud, riqueza y diafanidad de timbre. Este defecto se puede compensar con ejercicios de *distensión*. Uno muy recomendable es pronunciar la letra «a» abierta en un solo sonido, aumentando la intensidad de nuestra voz y luego disminuyéndola gradualmente, con los brazos extendidos hacia abajo.

Voz nasal

Es cuando se contrae, involuntariamente, el velo del paladar. Entonces se obtura el paso de la columna de aire vibratorio y evita que resuenen las fosas nasales. Conviene saber que la voz nasal no resuena precisamente en la nariz, a pesar de que la creencia común asocia esta voz al hecho pretendido de «hablar por la nariz». Para corregir este defecto, se propone el siguiente ejercicio: siguiendo el proceso de la respiración, pronuncia las letras combinadas «gagaga…», «jajaja…», «gragragra…», «jajaja…». Para saber si hemos avanzado, es decir, si vamos mejorando en la corrección del defecto, es recomendable poner una mano en el pecho, para sentir cómo vibra. Por eso decimos que la voz nasal se corrige obligándola a bajar a nuestro pecho.

Voz infantil

Es la voz demasiado atiplada. Se puede corregir tal defecto presionando ligeramente la nariz, con la cabeza inclinada hacia abajo. En esta posición se debe repetir una frase y hacer presiones ligeras hasta darnos cuenta de que la voz cambia. En ese momento se estará situando correctamente, en la laringe. Servirán también los ejercicios que apuntamos para las voces nasales.

Voz ronca

Si la ronquera es debida a un defecto de emisión se recomiendan los ejercicios para la voz gutural; pero si la ronquera se debe a un catarro u otra causa accidental lo recomendable es visitar a un especialista.

Voz temblorosa o trémula

Es aquélla cuya vibración carece de la rigidez, el vigor y sobre todo de la regularidad necesaria para hacerla más agradable al oído. Es la típica voz senil. Pero cuando el defecto no se debe a una edad avanzada, se recomienda el siguiente ejercicio: pronunciar las vocales, especialmente la «e», manteniendo un mismo tono e intensidad de emisión durante un largo tiempo. También deben practicarse muchos ejercicios de respiración porque el defecto puede encontrarse en una respiración mal controlada.

Defectos de pronunciación

Suelen ser abundantes y se pueden clasificar entre grandes y menores. Ejemplo de ellos es la extrema deficiencia en la lectura o en la improvisación. Los defectos menores pueden existir involuntariamente, aun entre los profesionales más expertos.

Es segura la elocución cuando la pronunciación es clara, diáfana, completa; cuando no se suprime, sustituye, quiebra o atropellamos letras, sílabas o palabras.

Principales defectos de pronunciación

A. *Asimilación*
Consiste en la supresión de letras, sílabas o palabras, con tendencia a juntar mucho las palabras. Ejemplos:

INCORRECTAS	CORRECTAS
Vamosalmorzar	Vamos a almorzar
Este libro es del	Este libro es de él
Val cerro	Va al cerro
Yo nunquintento eso	Yo nunca intento eso
Fui alaHabanauna vez	Fui a la Habana una vez
Cantantinternacional	Cantante internacional
Dentrun rato	Dentro de un rato
Cuandundolor	Cuando un dolor

Recomendación para corregir el defecto
Evite omitir las «eses» finales de cada palabra, en caso de vocales semejantes, éstas se pronuncian completas pero sin pausa: Ejemplo: Puerto Ordaz, no Puerto-Ordaz.

B. *Metátesis y disimulación*

Consiste en la trasposición de letras, sílabas o palabras; son actos fallidos. Es el más tonto, pero el más común, obedece a trastornos psicoverbales y a fallos mecánicos a la hora de articular los sonidos. Suele suceder por la falta de atención hacia lo que estamos diciendo. Exige gran serenidad por parte de quien lo comete, de lo contrario se desataría una racha de mentiras y engaños. Ejemplo:

Expresión dicha	Expresiónquesequeríadecir
La banda blanca de leche	La banda blanda de leche
Rinde como uno y cuesta como dos	Rinde como dos y cuesta como uno
El presidente se reunió con los usureros	El presidente se reunió con los usuarios

Recomendación para corregir el defecto

Establecer enlaces y tener la seguridad necesaria y la suficiente agilidad mental para no titubear y poder hallar la fórmula adecuada en caso de olvidarnos de una palabra.

C. *Sustitución de las letras*

Es común con las consonantes «de, pe, ce, ese» bien al final o a la mitad de la palabra. Ejemplos:

Incorrecto	Correcto
Calidac	Calidad
Octurador	Obturador
Señorajiseñores	Señoras y señores
Sepcional	Seccional
Ocjeto	Objeto
Correpto	Correcto

Recomendación para corregir el defecto
Practicar los ejercicios generales de articulación.

D. *Lambacismo*
Consiste en el cambio de la letra «erre» por la «ele». Ejemplos:

INCORRECTAS	CORRECTAS
Amol	Amor
Muelto	Muerto
Hacel	Hacer
Miral	Mirar

E. *Rotacismo*
Conversión de la letra «ele» en «erre». Ejemplos:

INCORRECTO	CORRECTO
Argunos	Algunos
Er barco	El barco
Mir	Mil
Miral	Mirar

F. *Laísmos*
Uso exagerado de «la» y «las» tanto en el dativo como en el acusativo del pronombre.

G. *Ultracorrección*
Hay que evitar el refinamiento exagerado del lenguaje y las formas falsamente correctas en las que se puede incurrir inconscientemente cuando se quiere ser muy fino. Ejemplos:

INCORRECTO	CORRECTO
Chacado	Chacao
Vacido	Vacío

H. *Atropello articular de las letras*

Debemos tener cuidado con las frases donde se presenten casos de:
Cacofonía: «la con la». Ejemplo: «le da la lila a la niña».
Aliteración: «erre con erre». Ejemplo: «cigarro, erre con erre...».
Paranomasia: «en el lago estuvo el lego luego».

Recomendación para corregir el defecto
Prestar atención a lo que se lee o se dice.

Ejercicios de la voz

Veremos a continuación una serie de ejercicios y recomendaciones para
el cuidado y entrenamiento de la voz.

Relajación de la mandíbula
Para hablar bien en público es necesario abrir la boca. Y para hacer
esto ha de relajarse la mandíbula inferior. Son muchas las personas que
tienen la mandíbula inferior en tensión.

El ejercicio para acostumbrarse a relajarla es muy sencillo, pero
exige mucha práctica durante una buena temporada.

Este ejercicio consiste sencillamente en inspirar profundamente.
Después, con la garganta relajada, decir «a» con la mandíbula caída.

Soltar los labios
Son muchas las personas que tiene los dos labios, cualquiera de ambos
o una parte de alguno de ellos bajo tensión. Tales personas tienen dificultades para hablar bien. El ejercicio para desarrollar la flexibilidad de
los labios consiste tan sólo en pronunciar la palabra «sopa», extendien-
do los labios de una manera exagerada al decir «so» y recogiéndolos al
decir «pa». La mandíbula inferior se encuentra bajo tensión al decir
«so» y completamente relajada al decir «pa».

Recomendaciones

Deberíamos tener siempre en cuenta que la voz es un instrumento muy valioso en nuestras vidas, aunque no nos dediquemos a cantar o ni siquiera sea nuestro instrumento de trabajo. Por ello conviene tener en cuenta las siguientes recomendaciones:

- Hablar mucho o en voz alta puede llevar a un desorden de la voz. Es conveniente considerar el entrenamiento vocal cuando hay que hablar o cantar en voz alta o cuando hay que usar la voz para trabajar. La resistencia vocal, al igual que un atleta, requiere de entrenamiento especial.

- Algunos medicamentos, como los antihistamínicos que se toman para combatir los resfriados o alergias, producen deshidratación de las cuerdas vocales y reducen la producción de moco y de saliva. Por ello mejoran los síntomas pero «secan» los tejidos del tracto vocal y respiratorio. Es conveniente consultar con el médico antes de automedicarse. Si se necesita tomarlos, ingerir además mucha agua y tratar de mantener el ambiente del trabajo y el hogar con una humedad del 40 por 100.

- El estrés puede llevar a una producción forzada de la voz y esto puede provocar daños en el tracto vocal. Las técnicas de relajación ayudan a mejorar la voz y permiten hablar por largos períodos con efectividad. Es aconsejable elongar (hacer ejercicios, estirar...) periódicamente los músculos de la espalda, cuello y cara. También puede ayudar la respiración lenta y profunda.

- La disfonía o alguna alteración al respirar o al tragar, pueden ser señales de desórdenes en el tracto vocal. Si algunos de estos síntomas persisten durante más de quince días, debe consultarse a un médico laringólogo.

- La cafeína y el alcohol provocan deshidratación de las cuerdas vocales. El consumo moderado de estas sustancias y beber mucha agua ayudarán a combatir este efecto. Por cada taza de café que se tome es aconsejable beber un vaso de agua.

- «Aclarar la garganta» y toser frecuentemente puede dañar los tejidos de las cuerdas vocales. Es conveniente tomar sorbitos de agua y chupar un caramelo para aliviar o calmar esa molestia. Si éstos duran más de dos semanas, se debe consultar a un médico laringólogo.

- Fumar es la causa principal del cáncer de laringe y además provoca distintos tipos de enfermedades en las cuerdas vocales, como por ejemplo, laringitis crónica, edema de Reinke (inflamación) y otros. También es muy perjudicial para la voz hablada y cantada.

- La frecuente sensación de quemadura detrás del esternón, la acidez o el sabor agrio en la boca están indicando que los ácidos del estómago están pasando por el esófago y se vierten dentro de la laringe, lo cual es anormal. Esto se conoce como reflujo gastroesofágico y puede provocar problemas en la voz. Si se experimentan estos síntomas, deben evitarse las comidas copiosas, con grasas, fritos, el café, el alcohol y también acostarse inmediatamente después de comer. Además es conveniente levantar las patas de la cabecera de la cama aproximadamente 15 cm. Si los síntomas persisten durante más de dos semanas, se debe consultar al médico.

Los especialistas mantienen que cualquier alteración en la voz tiene una importante repercusión en la calidad de vida de la persona. Por otra parte, el término correcto para el sonido alterado de la voz enferma es «disfonía» y no «afonía». Este último, más divulgado, debería usarse tan sólo ante la muy rara imposibilidad de generar sonido vocal alguno.

Son muchas las personas que dependen de su voz para trabajar: cantantes, locutores, profesores, actores, conferenciantes, vendedores, teleoperadores. Pero el grupo profesional con más problemas son los profesores de colegios. Entre ellos, el 20 o 25 por 100 presenta lesiones, aunque son muchos más, alrededor del 70 por 100, quienes padecen diferentes molestias o síntomas relacionados con el uso de la voz.

Asimismo, los profesionales con menos capacidad para tolerar los problemas de voz son los cantantes y, dentro de ellos, los cantantes líricos, ya que mínimas alteraciones vocales tienen un impacto en su voz que percibe el cantante inmediatamente.

Frecuencia de los problemas vocales

Alrededor del 5 por 100 de la población sufre algún trastorno de la voz, y es la segunda causa más frecuente de baja laboral entre los profesores. La edad de mayor prevalencia de los problemas vocales es entre 25 y 45 años. En la mayoría de los casos, en el origen de la disfonía existe un mal uso o abuso de la voz. La patología benigna más frecuente de las cuerdas vocales son los nódulos, entre el 17-24 por 100 de los casos. Predomina en mujeres, entre la segunda y la quinta década de la vida. En la infancia son más frecuentes en los niños. La patología quirúrgica benigna más frecuente de las cuerdas vocales son los pólipos vocales. Predominan en varones, en una proporción de 4 a 1, entre la tercera y la quinta década de la vida.

Las mujeres sufren más trastornos de la voz que los hombres y la disfonía funcional es el trastorno más frecuente en ellas.

Entre el 30 y el 40 por 100 de la población en edad escolar presenta disfonía. Se da más en los niños que en las niñas y la patología más frecuente en ellos son los nódulos, que producen entre el 50 y el 80 por 100 de las disfonías.

Ampliaciones sobre el tono

Es necesario hablar con tonos vivos y atrayentes. En este sentido, son varios los ejercicios que podemos hacer para desarrollar tal habilidad. El primero consiste en practicar con las palabras «cantando, trayendo, horrendo, bando», graduando el tono de la nariz e insistiendo en el sonido /nd/. Luego se practica con las letras «eme» y «ene» usando la palabra «mínimo». Después se pueden hacer muchos ejercicios con los sonidos «sing-song», «hong-hong», recalcando el sonido /ng/.

La voz y la respiración forman una unidad. Cuando hablamos necesitamos respirar continuamente y controlar la respiración o expulsión del aire para producir una buena voz. En caso contrario, hay un alto riesgo de fatiga, irritación de la garganta e incluso mareos.

Tipos de respiración

Cuando elevamos sólo la parte superior del pecho, descuidamos los lóbulos inferiores de los pulmones y el aire que está en su parte superior no basta para que podamos mantener la voz con un tono y un volumen adecuados. Si ésta es nuestra respiración habitual, debemos entrenarnos para cambiarla.

Respiración clavicular
Se hunde la parte superior del pecho y se levanta en la pared abdominal, o desciende, según el aire entra o sale de la base de los pulmones. Tampoco conviene al expositor.

Respiración abdominal
El área de las costillas se expande, mientras que la parte superior del pecho permanece quieta y elevada. Es el tipo de respiración que necesita el expositor: hace recordar a una bolsa de papel que se llena de aire y al ser apretada lo expele.

Ejercicios de respiración

A continuación se proponen una serie de ejercicios y recomendaciones para ayudarnos a controlar el tono, el volumen y el ritmo desde la respiración. Vamos a entrenarnos y experimentar con unos pasos sencillos.

1. Nos tumbaremos de espaldas, en posición horizontal, sobre una superficie mullida y rígida, como las colchonetas que se usan para los ejercicios gimnásticos.
2. Cuando nos encontremos en completo reposo observaremos tranquilamente la respiración; nuestro proceso natural. Seguidamente pasaremos a una respiración abdominal.
3. Levantaremos después la caja torácica y la mantendremos en esa posición. Observaremos entonces que los actos de inhalar y exhalar cambian. La pared abdominal inferior se tensa,

haciendo que el movimiento de expansión y contracción se lleve a cabo en el área de las costillas flotantes. Se sentirá a los lados, en la zona del esternón. Ésta es la *respiración diafragmática.*

4. Seguidamente nos levantaremos y procuraremos respirar de la misma forma, levantando la parte superior del pecho y manteniéndola fija. Este tipo de respiración mantiene una reserva de aire en los pulmones para sostener la voz. Por medio de la inhalación, la suspensión del aliento y la exhalación, se produce un *colchón de aire* que nos ayudará a regular el tono, volumen y ritmo de la voz. La clave se encuentra en asumir una buena posición. Estando adecuadamente erguidos no tendremos ninguna dificultad para respirar así.

Potenciación y mejora de la respiración

1. Manteniéndonos en pie, con el abdomen hacia dentro y el pecho hacia fuera, a la vez que mantenemos los hombros hacia atrás, se inspira lenta y profundamente. A continuación se comienza a pronunciar la letra «a», de forma continuada hasta que los pulmones quedan casi vacíos. Debemos continuar el ejercicio hasta que nos acostumbremos a retener cada vez más tiempo el aire en los pulmones.

2. Se realiza también de pie, completamente erguidos, con los brazos extendidos, sosteniendo una vela encendida. Inspiramos profundamente y soplamos de forma lenta sobre la llama de la vela que mantenemos delante. Soltaremos el aire despacio y de forma continuada, sin que la vela llegue a apagarse, hasta quedar con muy poco de aire en los pulmones. El ejercicio debe repetirse aumentando progresivamente el tiempo del soplido.

3. Continuaremos básicamente con el mismo ejercicio pero cambiando la vela por un cuaderno. Sobre él se colocarán pequeños trozos de papel. Al ir soltando el aire, los papeles deben moverse ligeramente, sin llegar a caer.

4. Cuando logremos controlar la respiración por medio de los ejercicios anteriores, conviene que practiquemos lecturas de

libros en voz alta, a ser posible novelas o narraciones poéticas, en las que probaremos a ir regulando los ritmos y entonaciones en forma de juego, hasta que comprendamos el texto, nos trasmita emociones y lleguemos a sentir satisfacción y alegría tras la lectura.

CUARTA PARTE

EL CONTEXTO DE LA COMUNICACIÓN

OBJETIVOS

✓ Fijar la atención en los destinatarios o audiencia.

✓ Conocer y practicar con la escucha activa, la empatía, la autenticidad y la creatividad.

✓ Aprovechar los recursos de la imaginación activa y reactiva.

✓ Generar voluntad de entendimiento.

Capítulo I

LOS DESTINATARIOS
O AUDIENCIA

En términos generales, se reconoce como destinatarios o audiencia a la persona o grupo cuya principal función es la de recibir los mensajes que se generan por parte de quien los emite.

El medio por el que se lleva a cabo la recepción del mensaje o mensajes puede ser la voz, un paquete, una carta o cualquier otro material que se quiera hacer llegar a una persona, como pudiera ser una señal, un código o un mensaje digital proveniente de un trasmisor.

Esta parte, la de quienes reciben el mensaje, constituye uno de los aspectos fundamentales dentro del proceso de la comunicación; sin ella, sería imposible ejercerlo, porque no habría ningún depositario del mensaje que se quiere o necesita trasmitir. El mencionado proceso, como ya se vio, precisa de un emisor y un receptor. El primero generará el mensaje que será trasmitido por algún medio o canal, como hemos estado viendo hasta ahora. Pero cuando éste llega a su destino, tendrá que ser decodificado y producirá unos efectos concretos, como por ejemplo responder, generar un *feedback* o retroalimentación, que estarán siempre vinculados con el lugar, medio y contexto de la situación particular en que se produce la comunicación.

En resumen, es de vital importancia que se tenga en cuenta a las personas a las que van dirigidos los mensajes de cualquier tipo de comunicación. Pueden estar localizadas dentro de una organización (internas) o fuera de ella (externas). La audiencia o destinatarios internos, en relación con un grupo determinado, son los que están directamente vinculados con ese grupo. Tal es el caso de la gerencia, los empleados, la junta directiva, los accionistas, los *freelances*, los contratistas externos y los proveedores, por ejemplo, en el caso de una institución o empresa. Los externos son los que mantienen un tipo de relación indirecta con la organización ya sea por su localización geográfica, por el tipo de producto que se ofrece o por el servicio en cuestión. Además de las comunicaciones relacionadas con un grupo en particular, también se dan las que podemos considerar más personales. Pero en este último sentido también sería de utilidad considerar el tipo de vínculo establecido con la audiencia, en relación con los intereses de la comunicación. Pueden considerarse también como relaciones directas o indirectas, en función de los intereses relacionados con los vínculos establecidos y el o los mensajes que se trasmiten.

El perfil de la audiencia

Cada vez más, los expertos de la comunicación tienen en cuenta el público al que dirigen sus mensajes. Les queda muy claro que es de gran importancia determinar «el perfil» de la audiencia para conseguir mayor eficacia a la hora de trasmitir un mensaje. Así ocurre con «los medios de comunicación» y también con los políticos. En ambos casos, su poder se ejerce en relación directa con su efectividad comunicativa. En las democracias, por ejemplo, los políticos de cualquier partido procuran hacer creer a su audiencia interna, los afiliados, y a la externa, el resto de la ciudadanía, que son los protagonistas de sus actuaciones, con el fin de conseguir el voto y llegar al poder. El uso y abuso del término «tú» por parte de los políticos nunca es tan frecuente como en tiempo de elecciones, como algunos estudiosos del tema han constatado. Aunque el trato «de tú a tú», tan común y característico de ciertos medios de comunicación, nos puede parecer agradable y democrático, tal vez oculte un cierto intento de manipulación. Imaginemos que un extraño se nos acerca por la calle y nos empieza a hablar de un modo amable e íntimo; seguramente nos quiere vender algo, ya se trate de un producto o de una idea. Éste suele ser el verdadero objetivo de los políticos y los medios de comunicación cuando nos hablan así. La llamada «prensa comercial» se suele dirigir a sus lectores usando la segunda o la primera persona plural, asumiendo así una intimidad, identidad compartida o amistad inexistente en el mundo real. Con ello procura crear un sentido de comunidad compartida, que incluye tanto al emisor como al receptor del mensaje, por razones comerciales. La voz imperativa es muy frecuente en la publicidad, con invitaciones como: «Gana el coche de tus sueños», «Pasa a la página 4», «Piensa en la mejor manera de pasar estas Navidades», «Contesta a estas diez preguntas y viaja a China en Semana Santa». Como podemos apreciar en estos ejemplos, el uso del imperativo y de la segunda persona contiene un claro intento de vendernos algo, un elemento comercial.

Sin necesidad de llegar a tales extremos, nos conviene tener en cuenta estos aspectos para aplicarlos a nuestras comunicaciones. Especialmente a aquéllas en las que deseemos un alto grado de eficacia.

Recursos

Pudiera ocurrir, no obstante, que no resulte fácil determinar «el perfil» de la audiencia, que no tengamos posibilidades de realizar esos costosísimos análisis de mercado y que para nuestro caso, los objetivos de nuestra comunicación, no sea necesario. No obstante, será conveniente disponer de algunas herramientas y habilidades que nos ayuden a la hora de sintonizar con la audiencia, potenciando así las posibilidades de mejora de nuestros mensajes y el éxito final de la comunicación, especialmente si se trata de una argumentación elaborada.

La escucha activa

Uno de los principios más importantes y difíciles de todo proceso de comunicación es saber escuchar. La falta de comunicación que se sufre hoy día se debe en gran parte a que no sabemos escuchar a los demás. Solemos estar más tiempo pendientes de las propias emisiones, palabras o argumentos. Pero en esta necesidad, propia y legítima a la hora de comunicar, se pierde la esencia de la comunicación, es decir: poner en común, compartir con los demás. Existe la errónea creencia de que se escucha de forma automática, pero no es así. Escuchar requiere un esfuerzo superior del que se hace al hablar y también del que se ejerce al escuchar sin interpretar lo que se oye. Por ello nos interesa detenernos en este punto, para precisar en qué consiste la «escucha activa».

Podemos comenzar por caracterizarla como aquel modo de escuchar y entender la comunicación desde el punto de vista de quien habla. En este sentido, resulta inevitable plantearse la diferencia entre «oír» y «escuchar». Porque hay grandes diferencias.

Oír es el mero hecho de percibir vibraciones de sonido. Por su parte, escuchar es entender, comprender o dar sentido a lo que se oye. La escucha eficaz tiene que ser necesariamente activa. Esta escucha activa, por lo tanto, se refiere a la habilidad de escuchar no sólo lo que la persona está expresando directamente, sino también los sentimientos, ideas o pensamientos que subyacen a lo que se está diciendo.

ELEMENTOS QUE FACILITAN LA ESCUCHA ACTIVA

Considera los siguientes elementos desde el punto de vista de la comprensión y el entrenamiento:

- Disposición psicológica: Prepararse interiormente para escuchar.
- Observar a la otra persona: Identificar el contenido de lo que dice, los objetivos y los sentimientos.
- Hacer saber a la persona que te habla que la escuchas, con comunicación verbal del tipo «Ya veo», «Umm», «Uh», «Claro», «Muy bien» o «Ajá», así como a través de la comunicación no verbal: contacto visual, gestos, inclinación del cuerpo, etc.

ELEMENTOS A EVITAR EN LA ESCUCHA ACTIVA

Para la consolidación de la escucha activa como habilidad también es importante establecer los límites del terreno de juego y las dificultades de la dinámica. Por ello es importante que tengas en cuenta lo que a continuación te expongo:

- Es muy importante evitar la distracción, lo que puede ser fácil en determinados momentos. La curva de la atención se inicia en un punto muy alto, disminuye a medida que el mensaje se desarrolla y vuelve a ascender hacia el final del mensaje. Hay que tratar de compensar esta tendencia, haciendo un esfuerzo especial en torno a la mitad del mensaje. De esta forma lograremos que nuestra atención no decaiga.

- Evitar interrumpir al que habla.
- Evitar los juicios precipitados.
- Contenerse para evitar ofrecer ayuda o soluciones prematuras.
- Evitar el rechazo de lo que la otra persona esté sintiendo, a través de expresiones como «No te preocupes, eso no es nada», por ejemplo.
- Debemos evitar «contar nuestra historia» cuando es la otra persona quien necesita hablar o desahogarse.
- No contraargumentar. Si la otra persona dice, por ejemplo, «Me siento mal» debe evitarse responder «Y yo también».
- Evitar el «síndrome del experto», que consiste en tener las respuestas al problema de la otra persona, antes incluso de que nos haya contado la mitad.

HABILIDADES PARA LA ESCUCHA ACTIVA

Pasemos ahora a exponer los elementos referenciales que más nos van a ayudar:

- *Escuchar las emociones* de los demás; tratar de «meternos en su pellejo» y entender sus motivos.
- *Parafrasear*. Este concepto significa verificar o decir con nuestras propias palabras lo que parece que el emisor acaba de decir. Es muy importante en el proceso de escucha, ya que ayuda a comprender lo que el otro está diciendo y permite verificar si realmente se está entendiendo y no malinterpretando lo que se dice. Un ejemplo de parafrasear puede ser: «Entonces, según veo, lo que pasaba era que...», «¿Quieres decir que te sentiste...?».
- *Emitir palabras de refuerzo o cumplidos*. Pueden definirse como verbalizaciones que suponen un halago para la otra persona o refuerzan su discurso al trasmitir que aprobamos, que estamos de acuerdo o comprendemos lo que se acaba de decir. Algunos ejemplos serían: «Esto es muy divertido»; «Me encanta hablar contigo» o «Debes de ser muy bueno jugando al tenis». Otro

tipo de frases menos directas sirven también para trasmitir el interés por la conversación: «Bien», «Umm» o «¡Estupendo!».

- *Resumir.* De esta manera informamos a la otra persona de nuestro grado de comprensión o de la necesidad de mayor aclaración.

Ejemplos de expresiones de resumen serían: «Si no te he entendido mal...», «O sea, que lo que me estás diciendo es...», «A ver si te he entendido bien...».

Expresiones de aclaración serían: «¿Es correcto?», «¿Estoy en lo cierto?».

Empatía

Para llegar a entender a alguien se precisa cierta empatía, es decir, saber ponerse en el lugar de la otra persona. Esto nos supone el esfuerzo de tratar de «escuchar» sus sentimientos y hacerle saber que «nos hacemos cargo», intentar entender lo que siente esa persona. No se trata de mostrar alegría; ni siquiera de ser simpáticos. Simplemente sentir que somos capaces de ponernos en su lugar. Aunque tampoco significa que tengamos que aceptar ni estar de acuerdo con la posición del otro. Para demostrar esa actitud, usaremos frases como: «Entiendo lo que sientes», «Noto que...».

Autenticidad

Si la vida es un arte, uno de los elementos clave para el desarrollo de éste y su expresión es la autenticidad. Por ello mismo resulta de vital importancia acercarse a ella en el desarrollo de nuestras comunicaciones con los demás. Con el propósito de alcanzar tal logro, nos resultará útil reparar primero en su concepto y sentido.

La autenticidad se suele definir como el hecho de ser veraz y honesto con uno mismo y con los demás, como una credibilidad indiscutible, una carencia absoluta de artificio. Esto implica que la autenticidad es relacional, que está conectada con la identidad personal, con nuestro propio mundo, además de con las relaciones que mantenemos hacia el mundo externo. Lograr esa autenticidad personal es un desafío y mantenerla es difícil. La causa de tal dificultad podemos verla en las influencias y exigencias externas, así como en las propias limitaciones.

Uno de los motivos que nos llevan a buscar la autenticidad es la necesidad de tomar las riendas de la propia vida, dejando de comportarnos como títeres en juegos ajenos. Construir tal autenticidad personal nos proporciona el antídoto para los condicionamientos externos. Hasta cierto punto, es una necesidad, una reacción de supervivencia ante las carencias que vemos prevalecer en la política, la cultura, la religión y otros aspectos de la vida diaria.

En este proceso de contraste se nos aclara un poco más el significado que para nosotros tiene la autenticidad; cuando la echamos en la falta. Así pues, la encontramos conectada con ese dualismo de la existencia humana: la tensión entre opuestos.

El concepto de autenticidad ha sido explorado a lo largo de la historia, desde los filósofos de la Grecia antigua hasta los de la Ilustración; desde los filósofos existencialistas a los teóricos y pensadores contemporáneos de las ciencias sociales, lo que ha producido una gran cantidad de escritos y opiniones. Pero sea cual sea la opinión correspondiente, resulta claro que la autenticidad personal es una característica de un proceso dinámico de cambio en una sociedad, en un mundo, en constante evolución.

ELEMENTOS ESENCIALES DE LA AUTENTICIDAD

Hay ciertos requisitos que deben darse para que el concepto de autenticidad personal llegue a ser algo más que una cáscara decorada pero vacía, definida ambiguamente y mal entendida.

Podemos estar de acuerdo en que, en principio, es deseable. Pero si faltasen ciertos elementos podría también convertirse en un obstáculo para las relaciones interpersonales y el funcionamiento de la sociedad. Esos componentes necesarios de la autenticidad incluyen:

- la autoconciencia
- la capacidad de análisis imparcial
- el autoconocimiento
- la responsabilidad e integridad personal
- ser genuinos y humildes
- la empatía
- la apertura al conocimiento de los demás
- una óptima interacción con las reacciones ajenas

Estos componentes tienen también que integrar la necesidad de limitar y ajustar la propia autenticidad, dependiendo de la situación. Cualquier proceso de autenticidad real no implica expresar el yo más íntimo, con todas sus posibilidades emocionales y cambios, en cualquier situación. En este contexto, ser consciente del momento presente, sin prejuicios, tiene gran importancia: mejora la claridad del diálogo interior y disminuye la implicación del ego. Pero, aun así, sería casi imposible tener en cuenta todas las variables que se dan en un proceso de comunicación. Es importante considerar cómo pueden llegar a interpretarse las expresiones auténticas propias, por muy cautas que sean. La regla de oro de tratar a los demás como nos gustaría que nos tratasen resulta esencial y puede ayudar mucho.

La condición humana es de tal naturaleza que ciertos factores evolutivos y de adaptación nos lastran hacia pensamientos desagradables, temerosos o negativos. Si todos nos comportáramos con autenticidad, sin limitaciones, la sociedad humana y la civilización estarían en peligro. Si cada persona revelara sin más el dolor profundo que siente en su vida, la angustia inherente a la existencia humana en presencia del miedo, las guerras, la muerte o la incertidumbre, así como de lo desconocido o incognoscible, se generaría una crisis colectiva de incalculables consecuencias. Por otro lado, el esfuerzo humano por superar la incertidumbre da un cierto sentido a la vida y nos eleva un poco por encima de nuestros orígenes.

Ante la ausencia de criterios claros para lograr definir la autenticidad personal, llegamos a la conclusión de que los límites entre la autenticidad y su carencia no se encuentran tan claramente marcados como parece. Las tierras fronterizas son maleables e inciertas, especialmente cuando se aplican a la política, los negocios o la cultura.

El proceso dinámico de cambio permanente puede ofrecernos múltiples facetas con respecto a nuestra autenticidad personal. Lo más difícil puede resultar elegir entre lo éticamente correcto y lo socialmente apropiado. El esfuerzo de conectar con el mundo externo, mientras se procura mantener la autenticidad, podría ser la esencia de la comunicación.

Lo que nos hace únicos no es quiénes somos sino en quiénes nos convertimos. Debemos tomarnos, por lo tanto, la construcción de nuestra autenticidad como un proyecto individual, sin confundirlo con el individualismo radical. Si el objetivo de la autenticidad personal es tan sólo alcanzar la realización personal o satisfacer deseos personales, entonces resulta individualista y egocéntrica. Pero si va acompañada de la conciencia de los demás y está integrada con todos los aspectos del mundo externo, entonces se convierte en un esfuerzo digno. La verdadera autenticidad personal no debe estar centrada en percepciones y sentimientos individuales, sino que también precisa abrirse a los que están ligados a otros aspectos externos de la realidad. Por ello es tan importante el punto que estamos tratando en esta cuarta parte de la comunicación, como apertura y sintonía con quienes escuchan o hacia quienes dirigimos nuestro mensaje.

El autoconocimiento completo es inalcanzable analíticamente; no podemos explorar con la razón el laberinto entero de la conciencia humana. Solemos encontrarnos con obstáculos al no comprender bien algunas partes de nosotros mismos, por haberlas olvidado o, simplemente, por desconocerlas. Es importante esforzarse por mantener un comportamiento ético, a pesar de las múltiples presiones que nos encontramos en la sociedad y a través del intercambio económico. Circunstancias difíciles, como la enfermedad, pueden llevar también a una duda e inseguridad excesivas; el verdadero autoconocimiento debe tener en cuenta estas condiciones.

Ser auténtico es ser consciente de que el estado propio puede determinar lo que pensamos o la forma en que percibimos e interpretamos las cosas. Deberíamos ser capaces de mantener un diálogo interno libre de inhibiciones, pero al mismo tiempo mantener reservado tal diálogo personal a la hora de comunicarnos con los demás.

Para ser auténticos, necesitamos ser conscientes de los límites del conocimiento y la comprensión humana, así como de las limitaciones del lenguaje natural para comunicar los propios pensamientos. Deberíamos considerar la posibilidad de que cualquier verdad que creamos saber puede no ser la verdad definitiva. Por ello, ser auténticos nos lleva a poner en duda las propias percepciones e interpretaciones, así como las de los demás, estando dispuestos a aceptar la incertidumbre. Ser auténticos es reconocer y aceptar nuestras limitaciones humanas.

La autenticidad nos ha de llevar a vernos como parte de un todo complejo, que contiene multitud de partes, siendo conscientes de sus interacciones, conectando sucesos y recuerdos de forma integrada y coherente; a modular aspectos de la propia intimidad, dependiendo de las circunstancias, desde la habilidad de reconocer y seleccionar las características más adecuadas para cada situación.

DILEMAS, PARADOJAS Y LÍMITES

La autenticidad y la falta de ella no han de considerarse estados mutuamente exclusivos, sino conceptos dependientes. En lugar de tratar de descubrir la autenticidad personal evitando el mundo externo, deberíamos sentirnos plenamente sumergidos en él. En este caso, la autenticidad emerge como resultado del diálogo constante con las influencias y presiones externas.

La paradoja se encuentra en que nos esforzamos por lograr mayor autenticidad a través de sumergirnos en el mundo externo, cuya adaptación plena puede erosionar nuestra autenticidad. Así vemos que al operar a un nivel probabilístico, en una comunicación dialogada en el tanteo constante de las respuestas y reacciones ajenas, la autenticidad sólo puede ser descubierta en la incertidumbre.

Otra paradoja: la autenticidad sólo se puede conseguir a través de la inmersión en la incertidumbre y la duda, pero éstas dificultan el descubrimiento del verdadero yo, sin el cual no se puede conseguir la autenticidad humana.

La complejidad de la existencia humana hace que cualquier descubrimiento evidente de la identidad personal se convierta en un desafío inmenso, ya que se encuentra influida por una gran variedad de factores: intereses y deseos, mezclados de forma compleja, que pueden dar como resultado rasgos y comportamientos impredecibles.

Otro límite en la búsqueda de la autenticidad tiene que ver con el lenguaje mismo. El propósito principal de éste es expresar y comunicar ideas, pensamientos, información y sentimientos. Pero está abierto a las malas interpretaciones y a la distorsión. Por ello, los límites del lenguaje y del pensamiento humano son algunas de las barreras de la autenticidad. Las palabras y el lenguaje no son medios perfectos para expresar todos los pensamientos y sentimientos que tenemos. Algunas cosas son inefables, es decir, no pueden ser expresadas de ninguna manera.

El lenguaje es un elemento mediador entre la experiencia, la comprensión y la comunicación. Por ello mismo, una autoconciencia completamente auténtica, en la que se eliminen por completo las posibilidades de interpretación o interferencias, es casi inalcanzable. Un lenguaje completamente trasparente, con una correspondencia clara y directa entre pensamientos y palabras, no existe. Las alegorías, las connotaciones costumbristas, las implicaciones personales y las metáforas suelen ser causa habitual de malentendidos e interpretaciones erróneas en la comunicación. Algo de ambigüedad es deseable, para que cada interlocutor pueda crear nuevos significados a través de sus asociaciones e interpretaciones. Pero la comunicación auténtica, la habilidad para pensar claramente y comunicar de forma precisa, es muy importante. Por lo tanto, debemos ser cuidadosos con las posibles ambigüedades de nuestra comunicación.

Creatividad

Podemos entender la creatividad como la capacidad de producir elementos nuevos y valiosos, ya sea en lo material, emocional o mental. Se trata de una capacidad de la que disponemos para llegar a conclusiones nuevas y resolver problemas de forma original. Por ello es importante en el desarrollo de una comunicación interactiva, cuando nos abrimos a las sugerencias y propuestas de los demás, en lugar de quedarnos encerrados en nuestra exclusiva visión de las cosas. La actividad creativa debe ser intencionada y apuntar a un objetivo. En su materialización puede adoptar, entre otras, forma artística, literaria o científica; no debemos verla como exclusiva de ningún área en particular. La creatividad es el principio básico para el mejoramiento de la inteligencia personal y el progreso de la sociedad, y es a su vez una de las estrategias fundamentales de la evolución natural.

Es un proceso que se desarrolla en el tiempo y que se caracteriza por la originalidad, por la adaptabilidad y por sus posibilidades de realización concreta. La encontramos a la hora de producir una idea, un concepto, una invención o un descubrimiento que es nuevo, original, útil y que satisface tanto a su creador como a otros durante algún período.

Todos nacemos con una capacidad creativa que luego puede ser estimulada o no. Como todas las capacidades humanas, la creatividad puede ser desarrollada y mejorada. Existen muchas técnicas para aumentar y desarrollar la capacidad creativa. Una de ellas es la conocida como «mapas mentales».

Mapas mentales

Un «mapa mental» es una representación gráfica, similar a una neurona, en una única hoja de papel, en relación con un tema, proyecto, idea, conferencia o cualquier otra cuestión. Combina las palabras clave con dibujos y colores, estableciendo conexiones entre aquéllas. La importancia de los mapas mentales radica en que son una expresión de una forma de pensamiento: el pensamiento irradiante. Es una técnica gráfica que permite acceder al potencial del cerebro y tiene usos múltiples. Su principal aplicación en el proceso creativo es la exploración del problema y la generación de ideas. En la exploración del problema es recomendable su uso para tener distintas perspectivas de éste.

En 1971, el psicólogo inglés Tony Buzan, basado en ideas de Leonardo da Vinci, formalizó el concepto de mapa mental. En sus propias palabras: «El mapa mental es la expresión del pensamiento irradiante y, por tanto, una función natural de la mente. Es una técnica gráfica que nos ofrece una llave maestra para acceder al potencial de nuestro cerebro. Se puede aplicar a todos los aspectos de la vida, de modo que una mejoría en el aprendizaje y una mayor claridad de pensamiento pueden reforzar el trabajo del hombre».

El mapa mental consiste en plasmar el pensamiento en un papel. La idea principal se sitúa en el centro y de ella se desprenden distintas ramas con ideas secundarias que, a su vez, se subdividen en conceptos nuevos interrelacionados entre sí. Todo esto representado a través de palabras, imágenes, flechas y colores. A simple vista puede parecer que no es más que el esquema de toda la vida, una chuleta visual mucho más vistosa. Sin embargo, según Buzan «la unión de estos elementos pone en juego la actividad de los dos hemisferios del cerebro, el izquierdo –encargado de los negocios, la parte académica e intelectual– y el derecho, centrado en la parte creativa, artística y emocional». De este modo se consigue un aumento de la creatividad y mejora de la comunicación.

Te sugiero que pares en este punto para hacer tu mapa mental de lo que hemos estado tratando. Si te acostumbras a utilizarlo, descubrirás una interesante herramienta para preparar tus procesos de comunicación. Te ofrezco algunas sugerencias para que te sirvan de ejemplo. En cualquier caso, si deseas ampliar tus conocimientos sobre la materia, te sugiero la lectura de Tony Buzan (2002).

Puedes encontrar muchas referencias, muestras y ejemplos, para que te sirvan de orientación hacia el logro de tu propio estilo, en diferentes lugares como:

http://informaciondemapasmentales.blogspot.com/

Capítulo 2

IMAGINACIÓN ACTIVA Y REACTIVA

La actividad imaginativa se caracteriza por la capacidad de crear mundos fantásticos íntimos y propios donde el sujeto es generalmente el protagonista y donde no existen límites ni restricciones de ninguna clase para el ejercicio de su libertad. Fundamentalmente consiste en formar representaciones de objetos, cosas, situaciones o afectos, en ausencia de éstos.

Pero la actividad imaginativa no es sólo una representación y actualización del pasado, sino que abarca también la posibilidad de proyección en el futuro, de anticipación a ese mismo futuro. Por su mediación se construyeron las utopías, por ejemplo, permitiendo liberar a la humanidad del estrecho horizonte del presente inmediato. Así llegamos a su capacidad y actividad recostructora, a la vez que anticipadora de soluciones futuras ante los problemas del presente.

La reconstrucción del pasado

Gracias a la imaginación somos capaces de construir un mundo íntimo, propio y nuevo. El pasado se hace presente con la ayuda de la memoria, recobrando una vida nueva y original mediante la actividad imaginativa. La riqueza, variedad y libertad de la imaginación hacen posible la reconstrucción de experiencias pasadas, tanto conscientes como inconscientes, donde la única ley es la de la satisfacción personal, rompiendo los moldes de lo real y las rígidas relaciones categoriales de nuestra mente, como son las fronteras del espacio y del tiempo.

La anticipación del futuro

La anticipación es el aspecto más creativo de la imaginación y por supuesto el más original. Como veíamos antes, podemos imaginar cosas, mundos, situaciones y experiencias jamás realizadas. La anticipación salta por encima de los estrechos horizontes de la vida cotidiana y se eleva por encima del aquí y del ahora. Ya no es el pasado o el presente los que cobran vida sino el futuro mismo.

Factores relativos a la imaginación

Como cualquier otra actividad humana, depende de distintos factores que influyen en ella, al tiempo que la condicionan:

Factores de tipo interno

Son tendencias individuales que determinan, por ejemplo, el tipo de asociación de ideas que somos capaces de establecer o lo hacemos de hecho. Entre ellas nos encontramos con nuestro estado de humor y las experiencias anteriores, fundamentalmente ligadas a las emociones. Por otra parte, las distintas formas de la sensibilidad perceptiva dan como resultado diferentes tipos de fantasía: fantasía visual, como la del pintor; auditiva, como la del músico; kinestésica, como la de los acróbatas.

Factores de tipo externo

Entre ellos podemos enumerar los estímulos, situaciones, elementos y circunstancias exteriores que potencian, provocan y afectan de alguna manera a la fantasía. Tomemos como ejemplo el arte. La imaginación artística se ve influida, en forma activa o reactiva, por las costumbres y la cultura de cada época.

Subjetivismo y objetivismo

Son aquellas formas de actividad imaginativa en las que predomina o bien lo subjetivo, cuando el artista expresa lo que siente en su intimidad, o bien lo objetivo, cuando la persona con temperamento artístico expresa lo que todos ven, porque se da en la realidad exterior, aunque a él le impresione de una manera más profunda.

Voluntad de entendimiento

Podemos considerar que la voluntad de entendimiento es la fuerza interior que tenemos todos los seres humanos, la ejerzamos o no, que nos lleva a involucrarnos en las necesidades comunicativas de la persona con la que compartimos un mensaje. Se trata de una aproximación real y un compromiso serio, natural. Esto es lo que nos exige la convivencia, por ejemplo, cuestionando a cada una de las personas que conviven sobre el grado de compromiso con los demás. Naturalmente, cuando nos encontramos en exceso centrados en nosotros mismos, tal fuerza interior permanece dormida. Y ese adormecimiento afecta a su vez a diferentes aspectos de nuestra imaginación, creatividad e inteligencia. La voluntad de entendimiento se concreta en una posición abierta a la relación dialógica, la comprensión e internalización de los deseos ajenos. Nos mueve a tratar y ser tratados como seres pensantes y sensibles, que viven muchas veces una realidad carente de solidaridad y empatía.

La estructura social está amparada por derechos inalienables: civiles, políticos, económicos, sociales y culturales, que son o deberían ser un apoyo directo a las libertades y que conducen, con su aplicación, a que la persona sea libre.

Los valores de la libertad, la igualdad y la solidaridad, a los que todos tenemos derecho, se reconocen como valores mínimos y ratifican nuestro compromiso con los demás, a través de un comportamiento sin exigencias, mediante la expresión natural respetuosa y el diálogo. Sólo teniendo esto en cuenta podemos entrar en el mundo del otro, explorar su situación anímica, muchas veces venida a menos por no poder comunicarse y llevar una vida de necesidades y deseos frustrados.

La apertura para ejercer la voluntad de entendimiento, de comunicación, es un valioso e imprescindible ejercicio para consolidar un mundo verdaderamente humano.

Esta voluntad de entendimiento hacia los demás y hacia nosotros mismos puede cambiarnos la vida, potenciar su calidad. Por otra parte, cualquier forma de comunicación que se aleje de este principio tiende a convertirse en lo que se conoce como «diálogo de besugos» o proceso de intercambio de supuestos mensajes no asimilados.

Capítulo 3

AJUSTE DE ESTADOS EMOCIONALES

Muchas veces nos sucede que estamos como «enfrascados» en nuestros pensamientos, como si sólo fuéramos una «mente» o como dijo Arthur Schopenhauer (2005) en *El mundo como voluntad y representación,* «ángeles de iglesias que sólo tuviéramos cabeza y alas». Desde entonces, en pleno siglo XIX, tomar conciencia del cuerpo, de nuestra fisiología, fue convirtiéndose en camino hacia el cambio en la visión del ser humano integral. Hoy en día, tales procesos de conexión integrada, como ya hemos visto, se han convertido también en pieza clave operativa para actuar sobre nuestras emociones. Utilizando y sensibilizando nuestra conciencia corporal, nuestra fisiología, además de abrirnos a una dimensión mucho más amplia de la comunicación humana, también nos permite operar consciente y voluntariamente sobre nuestras emociones. Lo que sentimos se refleja de forma inmediata en nuestros gestos, en la forma en que usamos nuestros cuerpos, como recientemente contrastó Paul Ekman (2004) en sus investigaciones en diferentes lugares del mundo, con referentes culturales y humanos diversos. Así puede constatarse que hasta los más pequeños cambios, como algunos gestos o expresiones del rostro, modificarán nuestra forma de sentir en cada momento y ello nos llevará a variar la forma en que pensamos y actuamos.

Cada emoción se encuentra directamente relacionada con una fisiología definida, con determinados procesos hormonales, que se reflejan en posturas, formas y ritmos respiratorios, expresiones faciales y pautas de movimiento. Por lo pronto resulta muy importante aprender a agudizar los sentidos, a salir de la tiranía exclusiva de lo mental-conceptual, para acercarnos a tomar contacto con el cuerpo, observando tales indicadores «externos». Aprendiendo a usar nuestro cuerpo, como forma de diálogo con nosotros mismos y con los demás, nos iremos encontrando con la «música del corazón»,[3] con ciertos procesos y estados emocionales en los que podemos ir tomando las riendas de la expresión y de la forma de situarnos en el mundo. Podemos volver a experimentar igualmente, para gozar o rectificar, algunos de esos estados.

Regularse emocionalmente significa evaluar y modificar ciertas reacciones emocionales, especialmente en relación con su intensidad y su desarrollo en el tiempo, con la finalidad de aproximarse y lograr ciertos objetivos que nos hayamos puesto libremente. No se trata de eliminar el malestar que nos ocasiona un acontecimiento determinado, sino de saber reconducir dicha emoción para que no sea tan intensa y duradera, permitiéndonos así orientar voluntaria y adecuadamente nuestros comportamientos.

La regulación de las emociones negativas tiene implicaciones importantes para nuestro desarrollo y funcionamiento en el entorno social.

Imaginemos, por ejemplo, que un compañero o compañera de trabajo nos critica un proyecto que no hemos hecho, a su parecer, de forma adecuada. En ese momento, lo normal es que nos enfademos de forma intensa. Pero dicha emoción, por otra parte, nos impide resolver de manera adecuada el resto de los problemas que tenemos, profesional o personalmente, además de aquel que se encuentra en el origen del conflicto. En este caso, seguramente, dejaríamos de hablar a la persona en cuestión. Si, en cambio, sabemos orientar adecuadamente nuestras emociones, las producidas en este caso por la crítica, manteniendo nuestro enfado en un grado menos intenso, podríamos seguir actuando con normalidad y eficacia resolutiva.

Estos procesos podemos verlos desde la más tierna infancia. Hay niños que se alteran con más intensidad y frecuencia que otros. El hecho de que un niño sea altamente reactivo puede hacer que necesite más la

---

3. *Véase* López Benedí, J. A. (2009): *El corazón inteligente.* Barcelona. Ediciones Obelisco.

asistencia de sus cuidadores o educadores para que le ayuden a saber regularse emocionalmente. Los niños más reactivos emocionalmente presentan estrategias de autorregulación emocional menos eficaces. Su temperamento afecta a la intensidad de la emoción, a través de descargas hormonales y se genera una estrategia de autorregulación menos eficiente. En el caso, por ejemplo, de los niños más miedosos, puede observarse en ellos reacciones más intensas de lo normal y recurrentes, en relación con estrategias pasivas y dependientes. La disponibilidad de los adultos para enseñarles estrategias más autónomas ayudará a tal niño a controlar más eficazmente su miedo. Un niño puede ser más miedoso que otro y llamar a su madre cada noche, pongamos por caso, para que su presencia lo calme. La madre puede acudir a consolarlo pero debería aprovechar para enseñar a su hijo ciertas estrategias para que aprenda a reconducir su miedo. Si esto no ocurre, el niño se desarrollará de forma dependiente (usará estrategias dependientes como esperar que su madre lo atienda física o verbalmente) para calmarse.

Es importante tener en cuenta el temperamento característico del niño en cuestión para ajustar como padres las estrategias oportunas de enseñanza para la regulación de las emociones. Cuando las madres participan activamente enseñando al niño a reconducir sus emociones, se aprenden estrategias de autorregulación emocional más sofisticadas. Una adecuada inducción parental en edades posteriores, incluso en la adolescencia, aumentará en nuestros hijos la sensación de competencia y la consiguiente mejora en el rendimiento académico, por ejemplo. Por otra parte, el uso de estrategias autónomas se asocia con una menor intensidad del malestar infantil. No se trata, lo cual es muy importante tener en cuenta, de suprimir las emociones negativas del niño, sino de ser capaces de ajustar y alterar de forma flexible sus estados emocionales.

Los dos primeros años de vida suponen un punto clave de inflexión para el aprendizaje y el paso de unas estrategias rudimentarias de control emocional a otras más autónomas, fruto del desarrollo de ciertos mecanismos cognitivos, afectivos y lingüísticos necesarios para potenciar la capacidad y habilidad de autorregulación emocional.

El niño, gracias a la ayuda de su madre, puede aprender a utilizar estrategias más activas en presencia o en ausencia de ésta. Son los padres los que han de adaptarse a las respuestas emocionales de sus hijos, sean muchas o pocas, para poner en marcha estrategias adecuadas de aprendizaje y educación en lo relativo a la autorregulación emocional, entre otras cosas.

Los niños que no aprenden a regularse emocionalmente de una forma adecuada, con el paso de los años irán desarrollando estrategias y conductas disfuncionales.

Equilibrio del cuerpo, la mente y las emociones

Se denomina equilibrio emocional a cierto proceso complejo de respuestas emocionales adecuadas, que la persona en cuestión vive en su entorno interior y exterior. Aunque el concepto de adecuación pueda pecar de una cierta vaguedad, es importante considerar que el desequilibrio es la consecuencia de una relación entre la persona y su ambiente o circunstancias que genera profunda insatisfacción. Por ello, diferentes escuelas centradas en el estudio de la psique humana conceden una importancia decisiva a las relaciones que cada individuo establece con sus semejantes.

Como a cualquier organismo vivo, son aplicables al ser humano las nociones de estímulo y respuesta. De esta manera podemos apreciar que a cada persona sus actividades diarias le proporcionarán una serie de situaciones de tensión o estresantes ante las que deberá reaccionar. Si su reacción o respuesta logra trasformar en algo positivo el estrés, la persona mantendrá un equilibrio en sus estados emocionales; si no es así, sufrirá sus consecuencias negativas, patológicas, que se irán trasformando en procesos de inadaptación. Por ello mismo, el equilibrio emocional se relaciona de forma preeminente con la manera de entender el desarrollo laboral, social, íntimo, escolar, deportivo, etc.

Si nuestra vida permanece mucho tiempo desequilibrada o alienada, nuestras relaciones con los demás se irán resintiendo progresivamente, a través de ciertas manifestaciones conductuales propias del estrés patológico, como pueden ser la ansiedad, la frustración y otros síntomas físicos o psicosomáticos. A todos nos gusta y deseamos sentirnos en paz, con seguridad y confiados, relajados eutónicamente, en un ejercicio voluntario completo, de control dinámico, de todos los aspectos de nuestra vida. Esto implica todas las áreas de nuestra existencia: los pensamientos, los sentimientos, las emociones, las metas y los valores. No debemos olvidar que un desequilibrio mantenido conduce siempre al malestar y la enfermedad. Ésta es la génesis de las enfermedades llamadas «psicosomáticas», que tienden a representar entre el 70 y el 80 por 100 de las enfermedades humanas.

Nuestro organismo ha sido creado para vivir 100 años, aproximadamente, en un ejercicio constante de originalidad y eficiencia. Por desgracia, cuando hacemos un mantenimiento impropio de él y actuamos de forma incorrecta se van generando, en la mayoría de los casos, una serie de factores que rompen el equilibrio del cuerpo, la mente y las emociones, lo que nos genera dolor y enfermedad, en lugar de tranquilidad y placer.

Nos sentimos emocionalmente satisfechos cuando nuestra voz interior, la intuición, se enfoca en el logro de la paz mental. Por ello, cuando nos sentimos en paz con nosotros mismos y con el mundo que nos rodea, sabemos que estamos haciendo lo correcto; que nuestro mundo interior y exterior se encuentran apropiadamente equilibrados y en estado de coherencia del uno con respecto al otro.

Todos tenemos la capacidad de controlar las actitudes interiores de nuestra mente y nuestras emociones. Para mantener un nivel apropiado de coherencia y equilibrio nos será de gran utilidad desarrollar el hábito de ver lo positivo en las personas y las situaciones que nos rodean, prestando especial atención a la forma en que nos expresamos y comunicamos. Si nos vamos acostumbrando a mantener la disciplina de buscar una lección o sentido valioso en cada dificultad que nos encontremos, llegaremos a tomar el control pleno, las riendas de nuestra vida. Este control consciente nos ayudará a ver el mundo de una manera más optimista y constructiva. Podremos llegar a ver y construir nuestro entorno vital como deseamos, en concordancia con nuestros valores y metas más profundos. Al mirar y vivir así, al comunicarnos por dentro y por fuera así, nos daremos cuenta de que el equilibrio de nuestro mundo mejora; que vamos haciendo realidad nuestros mejores sueños.

Podemos comenzar a cuidar ciertos detalles de nuestra vida cotidiana, si realmente deseamos obtener un equilibrio físico, emocional y mental. Para ello, desde que nos levantemos por la mañana hasta que nos vayamos a la cama por la noche, deberíamos estar en alerta para pensar y experimentar aquellas cosas que nos ayudan a mantener y nos proporcionan una vida saludable y de calidad. Este esfuerzo nos permitirá ir desechando muchas de las enfermedades y trastornos debilitantes, que todavía hoy dificultan a muchas personas sus procesos y alternativas para disfrutar de la vida.

Una persona que no come a sus horas y en cantidades adecuadas a lo largo del día tiene más probabilidades de sufrir estreñimiento, somnolencia, fatiga y malestares físicos, por ejemplo.

Es muy importante comprender que los alimentos altos en grasas, azúcar y sal resultan perjudiciales, por ello nos conviene comer más frutas, vegetales, cereales integrales, proteínas bajas en grasas y consumir suficiente agua, para sentirnos bien, para dormir bien; con ello nos estaremos asegurando más energía y vitalidad. Éste será un punto de partida fundamental para conseguir comunicarnos y vivir todos nuestros vínculos y relaciones de forma satisfactoria.

Es muy recomendable evitar, en la medida de lo posible, el humo del tabaco directo e indirecto, así como regular muy bien el consumo de alcohol. También es muy importante dormir entre siete y ocho horas cada noche, realizar ejercicio físico con regularidad y practicar la respiración profunda, para mejorar los procesos digestivos e incrementar la presencia de oxígeno en el cerebro, elemento clave para la sinapsis o la «chispa» del pensamiento, los reflejos y la coordinación.

La respiración profunda nos permite sentirnos más seguros de nosotros mismos. Cuando gozamos de equilibrio emocional nos sentimos tranquilos, confiados, relajados eutónicamente y satisfechos; en paz con nuestro interior y con la vida. En cambio, si nos desequilibramos nos sentimos infelices, estresados, ansiosos, irascibles, resentidos, con pensamientos negativos, pesimistas y depresivos.

Los seres humanos, en cada área de nuestra vida, solemos experimentar diferentes combinaciones de estados emocionales. Algunas veces nos sentimos perfectamente felices, en otras ocasiones, en cambio, nos sentimos inquietos, tensos y frustrados. Deberíamos acostumbrarnos a caminar por la vida revisando «el armario de nuestras vivencias y creencias» para deshacernos de la ropa vieja, de todo aquello que dejó de sernos útil para la vida y la coherencia personal; tomarnos el tiempo para desarrollar estrategias de comunicación internas y externas adecuadas para ir dando los pasos que nos acercan a la felicidad.

En este sentido, el autoconocimiento es la clave, «el sistema operativo» de nuestras dinámicas personales completas. En él se encuentran todas las ideas, creencias, experiencias, decisiones, emociones, sentimientos y conocimientos que hemos ido adquiriendo desde la infancia y constituyen el núcleo de nuestros valores. Si nos concedemos el tiempo para reflexionar un poco más con respecto a nosotros mismos, a ejercer nuestro diálogo interno de calidad, nos será más fácil mantener el equilibrio emocional, físico y mental coherente. Esta coherencia consiste en el acuerdo, entendimiento o buena comunicación entre nuestra personalidad, actitudes, valores, condiciones económicas, salud, procesos creativos, inteligencia, sentido del humor, memoria y capacidad para hablar en publico, entre otras cosas. Por lo tanto, si logramos hacernos conscientes de ello conoceremos también el grado de equilibrio emocional que cada persona precisa para su desarrollo pleno en el proceso de la vida. Nadie es mejor ni más inteligente que nadie; todo maestro comenzó siendo aprendiz. Cualquier persona que apunte hacia la felicidad ha de comenzar desde abajo y esforzarse para llegar a lo más alto de sus ideales. En esto consiste el camino de la comunicación integral.

Bibliografía

AILES, R. (1993): *Tú eres el mensaje: la comunicación con los demás a través de gestos, la imagen y las palabras*. Barcelona. Paidós.

AIRDWHISTELL, R. L. (1979): *El lenguaje de la expresión corporal*. Barcelona. Gustavo Gili.

BIRKENNBIHL, V. (1983): *Las señales del cuerpo y lo que significan*. Bilbao. Mempera.

BADOS, A. (2001): *Fobia social*. Madrid. Síntesis.

BARTOLI, A. (1992): *Comunicación y organización*. Barcelona. Paidós.

BOSERUP, A. y MACK, A. (1985): *Guerra sin armas*. Barcelona. Fontamara.

BOURDIEU, P. (1985): *¿Qué significa hablar?* Madrid. Akal.

BUBER, M. (1995): *Yo y tú*. Madrid. Caparrós.

BÜHLER, K. (1979): *Teoría de la expresión*. Madrid. Alianza Editorial.

BUZAN, T. (2002): *El libro de los mapas mentales*. Barcelona. Urano.

CESTERO, A. M. (2004): «La comunicación no verbal», en J. Sánchez Lobato e I. Santos Gargallo (eds.) *Vademécum para la formación de profesores*. Madrid. SGEL, pp. 593-612.

CESTERO, A. M. et al. (1998): *Estudios de comunicación no verbal*. Madrid. Ed. Numen.

COLL, J.; GELABERT, M. J. y MARTINELL, E. (1990): *Diccionario de gestos y sus giros más usuales*. Madrid. Edelsa.

CHOMSKY, N. (1972): *El lenguaje y el entendimiento*. Barcelona. Seix Barral.

DAVIS, F. (1976): *La comunicación no verbal*. Madrid. Alianza Editorial.

DESCAMPS, M. A. (1990): *El lenguaje del cuerpo y la comunicación*. Madrid. Deusto.

DURAND, G. (1982): *Las estructuras antropológicas de lo imaginario*. Madrid. Taurus.

ECCLES, J. C. (1975): *Observando la realidad*. Nueva York. Spinger Verlag.

EKMAN, P. (1991): *Cómo detectar mentiras: una guía para utilizar en el trabajo, la política y la pareja*. Barcelona. Paidós.

EKMAN, P. (2004): *¿Qué dice ese gesto?* Barcelona. Integral.

FAST, J. (1994): *El sublenguaje del cuerpo y los gestos*. Barcelona. Kairós.

FLUSSER, V. (1994): *Los gestos: fenomenología y comunicación*. Barcelona. Herder.

FORNÉS, M. A.; PUIG, M. y ESCALONA (2005): «Los textos como fuente de información pragmática: estudio de la gestualidad en la antigüedad romana», en *Revista de Filología Clásica*, 18, pp. 137-155.

FROMM, E. (1972): *El lenguaje olvidado*. Buenos Aires. Hachette.

GARCÍA, M. (2001): *El lugar de la comunicación no verbal en la clase de ELE Kinésica contrastiva*. Salamanca. Universidad de Salamanca.

GAZZANIGA, M. (1993): *El cerebro social*. Madrid. Alianza Editorial.

GÓMEZ SACRISTÁN, M. L. (2000): «La fonética y la fonología en la enseñanza de segundas lenguas: una propuesta didáctica», en *Carabela 41: Las actividades lúdicas en la enseñanza E/LE*. Madrid. SGEL, pp. 111-127.

HALL, E. T. (1989): *El lenguaje silencioso*. Madrid. Alianza Editorial.

INFANTE, I. (1986): *El lenguaje de rostro y de los gestos*. Biblioteca Básica de Psicología Aplicada. Quórum. Iberoamericanas.

KNAPP, M. L. (1988): *La comunicación no verbal: el cuerpo*. Barcelona. Paidós.

LAIR RIBEIRO (1998): *La comunicación eficaz*. Barcelona. Urano.

— (1999): *La magia de la comunicación*. Barcelona. Urano.

LÓPEZ BENEDÍ, J. A. (2003): *Cómo interpretar los sueños*. Barcelona. Ediciones Obelisco.

— (1996): *Hipnosis-Sofrología*. Barcelona. Ediciones Obelisco.

— (2009): *El corazón inteligente*. Barcelona. Ediciones Obelisco.

MAYER, R. E. (1986): *Pensamiento, resolución de problemas y cognición*. Barcelona. Paidós.

MILGRAM, S. (1984): *Obediencia a la autoridad*. Bilbao. Desclée de Brouwer.

MONTANER, P. (1995): *¿Cómo nos comunicamos?: del gesto a la telemática*. Madrid. Longman Alhambra.

MUÑOZ, J. J. (2008): *Integración de la comunicación no verbal en la clase de ELE*. Madrid. Universidad Antonio de Nebrija.

PAREJO, J. (1995): *Comunicación no verbal y educación*. Barcelona. Paidós.

POYATOS, F. (1994): *La comunicación no verbal. Paralenguaje, kinésica e interacción*. Madrid. Istmo.

POWELL, J. (1996): *¿Por qué temo decirte quién soy?* Santander. Sal Terrae.

ROSEN, S. (1986): *Mi voz irá contigo*. Buenos Aires. Paidós.

ROSENBERG, M. B. (2000): *Comunicación no violenta*. Barcelona. Urano.

SCHEFLEN, A. E. (1984): *Sistemas de comunicación humana*. Barcelona. Kairós.

SCHOPENHAUER, A. (2005): *El mundo como voluntad y representación*. Madrid. Akal.

SPRINGER, S. y DEUTCH, G. (1988): *Cerebro izquierdo, cerebro derecho*. Madrid. Alianza Editorial.

STEINER, C. (1992): *Los guiones que vivimos*. Barcelona. Kairós.

TOFFLER, A. (1991): *El cambio del poder*. Barcelona. Plaza & Janés.

URY, W. (1993): *De la negociación al acuerdo*. Barcelona. Parramón.

VALLEJO-NÁJERA, J. A. (1990): *Aprender a hablar en público hoy*. Barcelona. Planeta.

WATZLAWICK, P. (1989): *El lenguaje del cambio*. Barcelona. Herder.

WEIL, P. (1992): *La comunicación global*. Barcelona. Paidós.

WOLF, Ch. (1954): *Psicología del gesto*. Barcelona. Luis Miracle.

Índice

La risa y la sonrisa son medicina y placer; lo más propiamente humano que tenemos. Todos sabemos reír, aunque a veces se nos olvide. Y en algunos momentos, cuando necesitaríamos reír y no podemos, resulta imprescindible contar con los recursos adecuados para evitar el deterioro que nos lleva al sufrimiento y la enfermedad. Este libro aporta recursos para reír y sonreír. Es un libro lúdico, práctico y ameno, con una erudición que se justifica y se disculpa. Está orientado hacia quienes, en soledad o en grupo, desde un interés personal o profesional, desean contar con herramientas útiles para cada día; para ser un poco más felices cada día. Este manual de risoterapia le ayudará a relajarse, a sentir y a amar de una manera sana y natural. Reír libera tensiones, rejuvenece, contrarresta la ansiedad y libera endorfinas. Con sus propuestas, reflexiones humorísticas y ejercicios, *Juan Antonio López Benedí*, que imparte cursos de risoterapia por toda España, nos brinda una entrañable sonrisa, más allá de la risa, y nos enseña a reír, para vivir mejor.

Cada día se aprende algo más sobre los misterios de la inteligencia humana y se conocen nuevas vías para profundizar en nuestro potencial y expandirlo. Hoy la neurociencia cuenta con medios más sofisticados de observación y medición de los procesos neuronales y orgánicos, y muchos de los experimentos que se llevan a cabo facilitan la demostración, en sentido positivo o negativo, de antiguas tradiciones filosóficas orientales, místicas y conocimientos esotéricos. *Juan Antonio López Benedí* nos invita a dar un paso más en los descubrimientos científicos y en sus aplicaciones. De una forma sugerente, profunda y divulgativa, los numerosos ejemplos y propuestas para el estrés, la gestión y el liderazgo, nos ofrecen la oportunidad de ampliar la coherencia y riqueza de nuestra inteligencia, abriéndonos a una supra-razón emocional que nos permite resolver, de forma creativa y satisfactoria, nuestras dificultades cotidianas, transformándolas en momentos de gozo, abundancia y bienestar.

¡Amplía la riqueza de tu inteligencia emocional!